TOCASAID 'AIN TUIRC

'S ann à Nis a tha Donnchadh MacGillIosa. Rugadh e ann an 1941 agus chaidh e dhan sgoil ann an Nis agus ann an Steòrnabhagh, is à sin a dh'Oilthigh Obair Dheathain.

Greiseag an dèidh dha ceumnachadh, chaidh e a Lunnainn, is tha e ann fhathast. Thug e mach a bhith na fhear-teagaisg (Stèidheachd an Fhoghlaim, Oilthigh Lunnainn, 1973). Cuideachd, rinn e *City and Guilds Horticulture*. B' e a' ghàirn-ealaireachd, air a' cheann thall, a rùn 's a roghainn, agus sin an obair ris a bheil e. Cuideachd, bho chionn greis tha e air a bhith ag obair mar fhear-comhairleachaidh.

Dh'eadar-theangaich Donnchadh Shakespeare ann an *Seachd Luinneagan le Shakespeare* (Roinn Cheilteach Oilthigh Ghlaschu, 1988) agus dh'eadar-theangaich e sgeulachdan dhan Ghàidhlig còmhla ri Calum Greum san leabhar *Thall 's A-Bhos* (Gairm, 1991). Sgrìobh e cuideachd *Disathairn'* (Acair, 1992), nobhail ghoirid do chloinn, ach seo a' chiad uair a sgrìobh e leabhar rosg do dh'inbhich.

Tha an t-seann dachaigh sa Chnoc Àrd fhathast, agus Donnchadh is Catrìona a phiuthar uimpe còmhladh. Agus an taigh ùr, ri taobh, aig Norma, a phiuthar eile. Tha ceangal nach flagaich aca le chèile ri mòinteach Nis, far an robh iad nan òig' air Àirigh a' Bhealaich.

Tha dithis nighean aig Donnchadh a th' air a thighinn gu ìre. Tha e pòsta airson na dara h-uair. Às Ameireagaidh a tha Esther, agus bidh iad glè thric a' dèanamh air na Stàitean airson làithean-saora.

Tocasaid 'Ain Tuirc

Donnchadh MacGillIosa

CLÀR

CLÀR

Foillsichte le CLÀR, Station House, Deimhidh,
Inbhir Nis IV2 5XQ Alba

A' chiad chlò 2004

Air a chur ann an clò Minion
le Edderston Book Design, Baile nam Puball.
Air a chlò-bhualadh le Creative Print and Design, Ebbw Vale, A' Chuimrigh

Tha clàr-fhiosrachadh foillseachaidh dhan leabhar seo
ri fhaighinn bho Leabharlann Bhreatainn

LAGE/ISBN: 1-900901-11-0

ÙR-SGEUL

Tha amas sònraichte aig Ùr-Sgeul – rosg Gàidhlig ùr do dh'inbhich a bhrosnachadh agus a chur an clò. Bhathar a' faireachdainn gu robh beàrn mhòr an seo agus, an co-bhonn ri foillsichearan Gàidhlig, ghabh Comhairle nan Leabhraichean oirre feuchainn ris a' bheàrna a lìonadh. Fhuaireadh taic tron Chrannchur Nàiseanta (Comhairle nan Ealain – Writers Factory) agus bho Bhòrd na Gàidhlig (Alba) gus seo a chur air bhonn. A-nis tha sreath ùr ga chur fa chomhair leughadairean – nobhailean, sgeulachdan goirid, eachdraidh-beatha is eile.

Ùr-Sgeul: sgrìobhadh làidir ùidheil – tha sinn an dòchas gun còrd e ribh.

www.ur-sgeul.com

M' athair 's mo mhàthair,
a dh'obraich 's a shaothraich

Tha mi a' toirt taing do mhuinntir Chomhairle nan Leabhraichean, an Glaschu, a thug dhòmhs' a h-uile cuideachadh a lùigeadh duine.

D.M.

Clàr-Innse

Bàrdachd Mhurchaidh Bhig

Chuir e 'm baga-sgoile air falach air cùl a' ghàrraidh agus ghabh e sìos mu na h-iodhlainnean chon na ceàrdaich. Chan ann a' dol na leisgeul a tha mi, ach cha robh e furast' do Thormod a bhith air a chuingealachadh leis fhèin, nan nochdadh e idir, ann an rùm a' mha'-sgoile.

'S ge bith dè na cearban a bh' air Morrison, bha Eirig ag ràdh gum b' fhiach e medal cho mòr ri greideal. Bhon, ma thachair an sgoil agus am ma'-sgoile ris an Tocasaid, gu dearbha thachair esan riuthasan, ged nach e sin fàth mo sgeòil an-dràst.

Ach faighnich thusa dhìot fhèin ciamar a bha balach sam bith aig an robh leughadh is sgrìobhadh mus robh e càil ach trì bliadhna – ciamar a bha e dol a shuidhe ann an siud, hour after hour, air beulaibh Doileag a' Phluic. Ag obair le crayons mhòra thiugha 's air potaidh.

Cha robh e ann an clas Doileig ach bloigh de latha nuair a dh'aithnich e gu robh e ann an staing agus ann an ribe. Thug ise fa-near, thar a bioran-fighe, gu robh Norman MacLeod One gu math an-fhoiseil. Ri taobh Thormoid bha Norman MacLeod Two: Tormod Nell.

Co-dhiù, bhruidhinn am ma'-sgoile ris an Tocasaid. "Come out with me into the corridor." Bha e sèimh ris a' bhalach. "Now, Norman, you're homesick, but you can't just go home."

Fhreagair Tormod sa Ghàidhlig, oir bha fios math aige gu robh làn a chinn dhith aig an fhear a bha druideadh a mhoilean ri chèile ann an sin air a bheulaibh: "Tha dùil aig Doileag a' Phluic . . ."

"Miss MacDonald," ars Alasdair MacIlleMhoire. "Tha dùil aig Miss MacDonald," ars esan ri Tormod.

"Miss MacDonald thinks I should sit in my seat," arsa Tormod. Bhoill, cha robh duine dhen chloinn aig an robh srutan de Bheurla mar siud, an uair ud, a' chiad mhadainn air Primary One.

Nise, odd to relate and poignant to recall, thugadh 'A' Phluic' no 'Pluic Mhòr' air athair Doileig an ìre mhath a' chiad latha a chaidh e fhèin dhan sgoil. Bha e ri taobh na h-uinneig – balach à taigh-tughaidh gun ghèibheal – agus bha rudeigin de dh'iormaidh air, fad an latha, gun tuiteadh uinneagan mòra na sgoil' air, 's gun dèanadh iad mess dheth. Mar sin, chaith e a' chuid bu mhotha dhen mhadainn a' cleith an eagail, 's a' gaothadh aon phluic 's an uair sin an tèile.

'S e bu chòir dhuinn a chantainn ach 'Doileag na Pluic' agus 'Doileag na Pluic Mòire'. Ach 'Doileag a' Phluic' she had become, and has ever remained.

Ach chan e seo gu bheil mi 'g iarraidh . . .

Chaidh e steach a bhroinn na ceàrdaich, a bha dha na tèarmann is na bothaig fasgaidh. Bha e a' streap ri seachd bliadhna. Latha fuar a bh' ann, agus bha 'n còthar shràbh is chalg a bha steigte ri lòs na h-uinneig mar chomharr' is mar fhianais an dà chuid air arbhar agus droch thìd'.

"Bhoill, bhoill, a Thormoid," arsa Murchadh Mòr, agus bhuail Towser earball, thall san oisean. Minimalist dha-rìribh a bh' ann an Towser a-nis, ach latha dhe robh e, bhiodh e na dheann a-mach ri clais. 'S na sheasamh geur-shùileach air cnoc, ghabhadh e beachd air an t-saoghal.

Seo a' mhadainn a thurchair Murchadh Beag Mhurchaidh a thighinn a-steach a lìbhrigeadh a' phìos bàrdachd ud a bhios beò is maireann am measg an t-sluaigh corra bhliadhna eile co-dhiù. Tha bàrdachd Mhurchaidh Bhig sgrìobht' aig Dòmhnall Iain Dhòmhnaill Bhiastaidh, a h-uile leum is lide dhith. Nis, tha turchairt agus turchairt ann, agus bha Tormod Noraidh rathail, sealbhach gu ìre iongantach. 'S e a bh' ann ach rud a thug e às a' bhroinn.

Seo an uair a thàinig Murchadh Beag Mhurchaidh a-steach a leughadh bàrdachd a' gheamhraidh. Agus bha Tormod roimhe ann an sin, mar gu robh e 'n dàn, na shuidhe casa-gòbhlagain air stòl iarainn.

Cha tàinig duine a-steach a' mhadainn ud le each cuagach, no a dh'òrdachadh tairsgeir ro earrach, 's cha tàinig boireannach a-steach co-dhiù – cha robh e ceadaichte dhaibh. Fiù 's do Cheitidh Ann, a bhean, air an robh e gràdhach.

Seo a' mhadainn a bha dealbht' a-chaoidh tuilleadh air clàr inntinn, an triùir ac' còmhla ann an siud fo phìoch na Tilley, 's an aimsir car fuar a-muigh.

Duine beag righinn a bh' ann am Murchadh Beag Mhurchaidh, agus rudeigin cluasach. Chan fhuilingeadh e fighe ach mu chlò gu leth san t-seachdain. Bhiodh e falbh an dèidh chaorach, le bat', 's a' gabhail chuairtean a bha fada, chon nan lochan fad' às sin nach fhac' a' chuid mhòr de mhuinntir Nis, na h-Eileabhatan agus na h-Atrabhatan. 'S a-mach gu Mùirneag. Le cù air an robh Flash. A bha feitheamh ris air taobh muigh doras na ceàrdaich, 's a shròin ag obair leatha fhèin, 's a' toirt na chuimhne gu làidir blas is fàileadh iongan nan each.

Bhiodh Murchadh Mòr air beulaibh na ceàrdaich, a' crùidheadh. A thòn ri tòn mhòr an eich, 's e crom 's cas-deiridh an eich aige eadar a dhà shliasaid. Bhiodh an gobha le sgian fhaobharach a' toirt caoban às iong' a' bheathaich.

Bhiodh na sgealban bàna sin a' sgèith mar sgealban de shnèap 's a' tuiteam gu talamh le clab. Bhiodh na coin gam feitheamh, 's bhiodh iad thuca sa bhad. Glè thric bhiodh cac is lèig steigte riutha, ach dè 'n diofar a bha sin. Fiù 's ceò an dadhaidh, a bhiodh ag èirigh bho iong' an eich, agus crùidh dhearg, theth aig Murchadh Mòr ga fheuchainn oirre le clobh' beag goirid – fiù 's sin ghiùlaineadh na coin.

Ceò thiugh, gheal, ghrànd' an tachdaidh, a bhiodh ag èirigh na biulbhanan 's a' dol sìos eadar mionach an eich 's an talamh, 's a' sgaoileadh os cionn na ceàrdaich, os cionn a mullaich dubh tearra, mus tanaicheadh i.

Ach bhiodh Flash agus Towser air am faiceall cuideachd. Nan toireadh iad glamhadh gu chèile, 's gum biodh an t-sabaid ann . . . bha cuid dhe na h-eich gu math sgèanach . . . bha agus Murchadh . . . Nan èireadh air, shadadh e 'n clobh' agus 's dòch' an t-òrd – sealladh uabhasach – agus a shùilean a' lasradh na cheann.

Doras-mòr na ceàrdaich air a tharraing fosgailt', agus diong, diong, diong aig òrd air innean. Grèim aig Murchadh air a' chrùidh theth le clobh' goirid, 's e ga dèanamh rèidh, còmhnard.

'S e ga feuchainn a-rithist ri iong' an eich, 's a' sealltainn nuair a sgaoileadh a' cheò ach an robh làrach an dadhaidh na chearcall slàn dubh air bonn na coise. Agus mura robh, bheireadh e slisneag no dhà eile aist' leis an sgithinn, agus suathadh no dhà oirre le rusp.

Theasaicheadh e a' chrùidh às ùr gus an robh an t-iarann dearg, agus an uair sin cho geal 's gu faiceadh tu troimhe, agus na sradagan a' sgèith 's a' seòladh, agus diong, diong, diong a' toirt na crùidh na bu chruime mu bhod innein: aon, dhà, trì, ceithir, aon, dhà, trì – obair chruaidh agus obair inigeil.

'S a' tarraigneachadh na crùidh na h-àit' air cas an eich, 's leis an òrd an uair sin a' bualadh 's a' lùbadh sìos 's a' maoladh bàrr nan tarraingean, far na nochd iad air uachdar na h-ionga, a-null mu h-oir.

'S na trì casan eile mar an ceudn', ma bha 'n t-each dòigheil.

"Ràith," arsa Murchadh ri Tormod, "'s feumar crùidhean ùra."

"Ciamar?" arsa Tormod.

"Tha gu bheil iong' an eich a' fàs, all the time."

"Bheil?"

"Mà, tha mi 'n dùil. 'S bidh i air a cuingealachadh."

"O . . ."

Timcheall na ceàrdaich bha a h-uile seòrsa sean rud a' dol fodh' ann am feur, 's an talamh a' feuchainn rin slugadh: bugaid de thractar Fordson air reothadh 's air meirgeadh far na stad e, agus crann le cuibhleachan mòr' iarainn thall faisg air. Einnsean làraidh na laighe leis fhèin air leac saimeant, 's an ola dhubh a bh' air falbh às air a' ghlasach a ghànrachadh.

'S am measg an fheòir bha cuibhleachan nan laighe far na shadadh iad, is cuiseagan a' fàs eadar na spògan, agus deanntagan a' falach sean chliath agus sean gheat'. 'S air na h-innealan sin gu lèir bha a' mheirg ag ithe a-steach dhan iarann, agus air èirigh na sgreaban is na builgeanan.

Am broinn na ceàrdaich bha cùisean a cheart cho math.

Bha sean bhotail ann an doimhneachd nan uinneagan nach gabhadh glanadh gu sìorraidh, 's na bh' orra de chlòimh-liath a' cleith na bha nam broinn. Agus sgramag uaine suas air na lòsan.

Agus air Murchadh Mòr fhèin bha 'n t-aparan leathair a bu shalaiche, a bu duibhe 's a bu duirche a chunnacas a-riamh, aig an taigh no bhon taigh.

"Bhoill," arsa Murchadh Mòr ri Murchadh Beag, "tha cho math dhut tòiseachadh." Agus shuidh e air stòl.

Bha 'n teallach na chraos is na chaoir ghorm lasrach thall gu chùlaibh.

Choisich Murchadh Beag sìos is suas air na lorgadh e de làr. Agus labhair e a' bhàrdachd a leanas, am measg na bha siud de threalaich. Eadar chuibhleachan is ùird is chlobhan, eadar chromanan is thairsgeirean is eile.

Bhruidhinn e na ghuth caol, cruaidh fhèin, agus seo a thubhairt e:

Geamhradh cruaidh gu robh againn am bliadhna,
geamhradh cho cruaidh ri gin a bha riamh ann,
geamhradh a sgiùrsas a-mach às an tìr sa
an greimeire 's a' mheanbhchuileag mhìn-bhreac,
ach a chumhainneas am breac anns an linne
agus fèarlagan snòtach air ùrlar glinne.

Langabhat reòthte bho cheann gu ceann,
reòtht' air a feadh cho teann ri teann,
a druimeannan garbha fo chuip na gaoith,
cha mhòr a th' ann de là gu 'n tuit an oidhch',

an t-suaile bhios a' slapraich a-steach fo bhruthaich
a-nis fo smachd na h-aimsir coimhich.

O dheargaid tha 'g èaladh air mionach na geàrr,
aonaran sgèanach na fìor mhòintich àird,
caill thusa do ghrèim 's tha do bheatha seachad,
cha sèam a' ghaoth tuath thu 's cha seachain,
thèid peirigill ort am priobadh na sùla
san fhàsach a-muigh mu shàil Mùirneig.

An t-seilcheag dhubh a thig a bhroinn na tobrach,
na laomainn a tholl dà gheansaidh math obrach,
giorra-shaoghal grad orrasan uile,
orra fhèin 's na tha seo de sgràl chuileag,
's air na h-uighean gun àireamh a rug iad 's a dh'fhàg iad
an iomadach, iomadach sgor is sgàinean.

'S lugh' ormsa co-dhiù geamhradh sitigeach fliuch,
nach cuir grobadh air radan no fiù 's air luch,
cnatanan smuigeach, smugaid is sreothairt,
faileas a' chinn-simileir ri fhaicinn san sglèat,
galair nan cearc a tha marbhtach, gabhaltach,
sgàird a' chruidh measg làraich an crodhanan.

Geamhradh cruaidh gu robh againn am bliadhna,
geamhradh cho cruaidh 's a bha aon uair a-riamh ann,
a chaisgeas a' chnuimh mus fhàs i ro lìonmhor,
's a reothas 's a ragas a' bhratag 's a' bhiastag;
earrach ceòthanach, samhradh breac riabhach,
's na àm fhèin, foghar geal grianach.

Thug an gobha am botal-mòr sìos bho bàrr a' bhalla, rud tearc agus ainneamh, agus lorg e trì glainneachan a chuir feum air suathag le clobhd a bha uaireigin aig Ceitidh Ann na thubhailt-shoithichean, agus lìon e iad le uisge-beath'.

Agus seach gun dh'iarr iad sin air, thug Murchadh Beag ionnsaigh eile air a' bhàrdachd.

An Tocasaid

Cha robh Tormod a-riamh ag iarraidh na bha sin de chadal. Cha b' e fear-leap' a bh' ann a-riamh, co-dhiù san t-seagh sin.

Bhiodh e a' tionndadh aist' ann an càinealachadh an latha. Mus robh a' chiad choileach a' reubadh brat na h-oidhch' às a chèile le dalmachd guth, bhiodh Tormod air boiseag a chur air aodann. Trì uairean a thìd' a chadal, no ceithir – dh'fhòghnadh sin dha. Tha daoine ann mar sin. Agus ciamar eile co-dhiù a bha Tormod air cur às a dhèidh na chuir e às a dhèidh?

Nuair a sgrìobh e a chiad leabhar, *The Social Life of the Starling*, 's e mu dhusan bliadhna dh'aois, cha do dhùin a shùil, a rèir Choinnich, fad trì oidhch'. Chaidh an leabhar a leughadh air an Third Programme, 's abair thus' gu robh fèill air ann an Sasainn.

Sin an t-airgead leis na thog e 'n taigh.

"Sin a' mhocheirigh anns nach eil feum dhòmhsa," ars am ma'-sgoile ri 'Ain Tuirc. Bha an rud a bh' ann gu math ironical leis a' mha'-sgoile, nuair a chuimhnicheadh e gur e seo an dearbh Thormod a chleachd a bhith air bhoil ag iarraidh dhan sgoil 's gun e ach trì bliadhna dùint'. 'S a bha 'n uair sin a-rithist cho dearmadach, seachranach, clì. Dhòigh 's gu robh Coinneach bràthair-athar, agus Eirig a bh' aige pòst', agus Morrison am ma'-sgoile agus Doileag a' Phluic a bha 'n ceann na clainne bige – gus an robh na daoine sin air am feuchainn aige gu iomall an crithnich and a shade beyond.

Cha robh e na iongnadh gu robh iad troimh-a-chèile, 's gu robh na facail a' dol ceàrr orra. Gu robh iad bàn leis an sgìths, geal leis an ainmein agus sàmhach gun dùrd.

Ach fhuair iad seachad air tro thìd', gu ìre mhòir. Mar a ghabh na mìosan seachad, 's na bliadhnachan le ceum na b' aithghearra na sin, thuig iad cò bh' ac'. Dhrùidh e orra gur e a bh' ann an Tormod ach phenomenon. Balach a rugadh san fhraoch ghorm chùbhraidh a-muigh gu fada am meadhan mòinteach Nis. Mu àird a' mheadhain-latha, air fear dhe na lathaichean a b' fhaide dhen bhliadhna.

Balach a bh' air a shloinneadh air iomadach dòigh na èirigh suas, agus air an deach èigheachd a h-uile seòrsa rud na shiubhal. Tormod Beag, Tormod Beag againn fhìn, Tormod Noraidh, Norman MacLeod One, in contradistinction to Norman MacLeod Two, alias Tormod Nell, mac Thormoid 'Ain Tuirc, an donas beag ud, am bastard na bids' ud, am balach gòrach, an dòlas duin' ud, a bhlaigeird air do chasan, a mhic an uilc, a mhic an diabhail, m' eudail-s' air a mhullach, the man himself, College Boy, Guga, a Thormoid a luaidh, a Leòdhasaich na galla, yon big teuchter, Desperate Dan, Plum MacDuff, that Scotch git, you great big fucking Paddy, my own dear darling, the Body, the Brain, sweetie-pie, Prof, Dead-Eye Dick, honey, Leg-over Len, Mac, wherefore art thou Romeo, Come-again Charlie – agus a bhàrr orra sin uile, quintessentially and perennially, an Tocasaid, agus Tocasaid 'Ain Tuirc.

Nuair a bha e na roiligean beag, nach ann a ghabh e fancy dhan tocasaid mhòr a bha buailte ri cùl taigh an Sport. Bha bloigh de dh'àradh ri cruach ann am broinn iodhlann nan daoine sin, 's bhiodh e ga dhraghadh leis. Dheigheadh e an uair sin na mhullach, 's bhiodh e a' goradaireachd 's a' gocamanachd os cionn na tocasaid, a bhiodh uaireannan letheach mu letheach le bùrn agus uaireannan eile taosgach.

Nise, 's e fìor dhroch àradh flagach a bha seo. Àradh crithean-ach a bha a' dèanamh a' chùis na sheasamh 's a thaca ri cruach choirc. Ach a dhol ga chur suas ri beul tocasaid, a bha cho cam 's cho cruinn 's cho cruaidh 's cho sleamhainn, 's e bha sin ach rud eile.

Shealladh e sìos a bhroinn na tocasaid, 's mura druideadh e 'n solas air fhèin, chitheadh e mìr dhen adhar, agus na sgòthan a' gabhail romhpa.

Chitheadh e na rionnagan gan cluiche fhèin shìos anns a' bharaille mhòr. Dhùisgeadh e Mac-Talla. Esan aig nach eil mòran ri chantainn rinn ach mar a bheir sinn dha.

Bhiodh Tormod a' frithealadh na tocasaid, 's a' turraban 's a' turrabanaich os a cionn. 'S ag èigheachd sìos innte, 's a' diobadh a chinn ach dè chitheadh e. Fhad 's a bha a chomhaoisean a' deocadh na h-òrdaig 's a' tarraing air aparan am màthar.

Eadar dà fhras ruitheadh e mach is dhìreadh e suas chon na spiris sa. Bheireadh e 'n aire dhan uisg' a' dòrtadh às a' phìob 's a' tormanaich shìos sa bharaille. Ghabhadh e ealla ris a' bhoinneig mar a dhealaicheadh i bho bheilleag na pìob. Ris mar a bhuaileadh i shìos am broinn na tocasaid le fuaim binn. Dh'fhalbh an t-àradh leis. Fhuair e sgleog mun pheirceall, 's thug e 'm plum am broinn na tocasaid.

Mìorbhail nach deach a bhàthadh. Bha Sport a' dol tarsainn eadar a' bheart 's an taigh. Chual' e 'n uspartaich.

"Gu sealladh mathas air mo chorp!" dh'èigh e.

Thog e 'm balach às a' bharaill'. Steall às, crith air, 's e cho fliuch 's cho slìom ri cù eunadair.

"Ta, cha sguir thu, cha ghabh thu robhainn . . ." Bha e ga fhàsgadh 's ga altram 's ga phògadh 's e na ruith leis a-steach a bhroinn an taigh'.

"Càit a bheil fear na tocasaid?" dh'fhaighnicheadh daoine.

Ghreimich an t-ainm sin ris a' bhalach, 's am balach ris an ainm, gus nach robh eadar-dhealachadh eatarr'. Ghreimich an t-ainm ris mar a thèid searcan an sàs ann an clòimh na caorach.

Torc a shinn-seanair. 'Ain Tuirc a sheanair. Noraidh 'Ain Tuirc athair. A chailleadh sa chogadh. *H.M.S. Forfar.* A-muigh sa chuan mhòr, seachad air Rockall. Torpedo. Torpedo eile. Thàinig cuid aist'. Cha tàinig esan.

Mu euchdan na Tocasaid tha 'n tuilleadh ri inns'. Fhad 's a bhios daoin' air a' chothrom 's an còmhradh a' dol, bidh iomradh air.

An Nis, far na rugadh 's na thogadh e, bidh cuimhn' air fhad 's a bhios stiùir ann an coileach, is gog is cìrean.

Dòmhnall Iain

Iseabail Sheonaidh Mhòir a shàbhail Dòmhnall Iain. I fhèin agus pìos bàrdachd le John Donne, a bhàsaich ann an Lunnainn sa bhliadhna 1631. "Buail mi," tha 'm bàrd a' cantainn ris an Tighearna.

"Buail mi, chan eil dòigh air ach sin." Bha Calum is Iseabail ann an Glaschu agus Dòmhnall Iain an Dùn Èideann. Dheigheadh e nan innibh airson blàths is carthannas nuair nach deigheadh e 'n àrainn duin' eile.

Bha Dòmhnall Iain an uair ud ann an droch staid: chan eil math a bhith mu dheidhinn. Bha e air an t-oilthigh fhàgail bho chionn fhada. 'S gun aig' airson a chion saothair ach làn a' chlèibh a dh'aithreachas. Neo, mar a thuirt bàrd eile, 'A whole lot of fuck-all and acres of regret.'

Bha 'n dà chànan marbh air a bhilean. Ann an tè seach tè cha robh tlachd aige. Fo bhuaidh na dibhe dh'aidich e ri Iseabail gur h-e 'Batter My Heart', le John Donne, a' bhàrdachd a b' fheàrr leis a bh' air an t-saoghal. A' dol seachad fiù 's air 'Tiugainn Leam is Dèan Cabhaig' agus 'O, Cò Thogas Dhìom an Fhadachd'. Thòisich e ga h-aithris. Chaidh i ceàrr air dhà no thrì thurais. Mu dheireadh rinn e a' chùis.

Batter my heart, three person'd God;
For you as yet but knocke, breathe, shine and seeke to mend;
That I may rise, and stand, o'erthrow mee, and bend

Your force, to breake, blowe, burn and make me new.
I, like an usurpt towne to another due,
Labour to admit you, but Oh to no end,
Reason your viceroy in mee, mee should defend,
But is captiv'd, and proves weake or untrue.
Yet dearely I love you, and would be loved faine,
But am betrothed unto your enemie.
Divorce mee, untie, or break that knot againe,
Take mee to you, imprison mee, for I,
Except you enthrall mee, never shall be free,
Nor ever chast, except you ravish me.

Leig e a cheann clèigeanach sìos eadar a dhà ghlùin, 's ghabh e gu gal. "An dùil an gabhadh e cur dhan a' Ghàidhlig?" ars is'.

"Dè tha thu mionaigeadh?" ars esan, 's e ri suathadh a shròin 's a shùilean le bhois 's le mhuinichill.

"Tha dìreach . . ."

"Dè fios a th' a'ms'," arsa Dòmhnall Iain. "Dèan fhèin e. Siuthad thusa: dèan fhèin e. I'm not doing it."

Eil fhios agad, taigh na bids', and all that. Taigh mòr na bids', and all that. Taigh na croich, eil fhios agad.

Seo an obair ris an tug e seachd bliadhna.

Obair is ath-obair. A' togail 's a' leagail. A' fighe 's a' sgaoileadh na fighe. Cha robh e na mhàl ag obair oirr', 's cha robh e tric na thàmh buileach. Bha a' bhàrdachd chianda air inntinn an còmhnaidh.

'S mura biodh esan ag obair oirrese, bhiodh is' ag obair airsan. Gus an robh e fhèin 's a' Bheurla 's a' Ghàidhlig toinnte còmhla mar sean fhigheachan.

Mar fhigheachan an t-sean mharaiche ann an *Treasure Island*, a' chiad leabhar ceart a leugh e riamh, 's a bha staigh na fhuil.

"I remember him as if it were yesterday," chanadh Dòmhnall Iain ri Calum air oidhche Bliadhn' Ùir, "as he came plodding to the inn door, his sea-chest following behind him in a hand-barrow; a tall, strong, heavy, nut-brown man; his tarry pig-tail falling over the shoulders of his soiled blue coat; his hands ragged and scarred, with black broken nails; and the sabre cut across one cheek, a dirty livid white. I remember him looking round the cove and whistling to himself as he did so, and then breaking out in the old sea-song that he sang so often afterwards:

'*Fifteen men on the Dead Man's Chest –*
Yo-ho-ho, and a bottle of rum!'

in the high, old tottering voice that seemed to have been tuned and broken at the capstan bars."

"Tha e agad air do theangaidh," arsa Calum.

"Tha am pàirt ud," arsa Dòmhnall Iain.

Nise, 's iomadh amhran snog a rinn Iseabail fhèin. Bheathaich i a' chlann le ceòl. Bhiath i iad le bàrdachd dhen a h-uile seòrs'. A' chlann aca fhèin, 's na h-oghaichean, 's a' chlann a bha i a' teagaisg an Glaschu.

Tha fichead bliadhna, pailt, bho nochd 'Breacagan'.

Tha na rinn i bhon uair sin aig Dòmhnall Iain air a chruinneachadh. Seo fear a rinn i, bliadhna, 's iad aig an taigh ann an Nis ri àm na Nollaig.

Càit an deach an gobhlan-gaoith,
an gobhlan-gaoith,
càit an deach an gobhlan-gaoith
bho thàinig a' ghairbhseach?

Chaidh e deas, 's bu ghlic sin dha,
bu ghlic sin dha;
chaidh e deas, 's bu ghlic sin dha,
a' leantainn na grèine.

Ach dh'fhuirich air an còraichean,
an còraichean,
dh'fhuirich air an còraichean
an fhitheach is an fhaoileag.

Staigh fo fhasgadh nan geug fraoich,
nan geug fraoich,
staigh fo fhasgadh nan geug fraoich,
an dreathan-donn nach trèig sinn.

Tha 'n eala bhàn air teachd bho tuath,
air teachd bho tuath;
tha 'n eala bhàn air teachd bho tuath,
i fhèin agus a cèile.

Cluinn i air Loch Stiapabhat,
Loch Stiapabhat:
cluinn i air Loch Stiapabhat,
a' gurmalaich 's ag èigheachd.

Tha Iseabail is Calum iad fhèin colach ri eòin a bhios a' falbh 's a' tighinn. Agus Dòmhnall Iain, mar a bha e an uair ud, air ais 's air adhart à Dùn Èideann.

Mu na teobaichean a bh' aige cha leigear a leas mòran a chantainn. Thug e greis na chlàrc aig British Railways. Bha e leubraigeadh dha Balfour-Beattie, a' sàthadh bara an dèidh bara de shaimeant, gus an robh na gàirdeanan 's na casan aige cho teann ri ròp. Chaith e aon samhradh na ghàirnealair ann am Princes Street Gardens.

Mar a thubhairt mi, bha Dòmhnall Iain an uair ud ann an droch staid, agus ann an dorch-staid.

'S ann mun àm s' a choinnich e ri feadhainn dhe na balaich a bha a' toirt a-mach na ministrealachd ann an Colaist na h-Eaglaise Saoire. Bha e rudeigin eòlach orr'. 'S ann à Leòdhas a bha a' chuid mhòr ac', 's bha fear ann à Àird nam Murchan. Balaich ghast' a bh' annt', a bh' air an saoghal fhaicinn, 's a bha nis air tilleadh gu sgoilearachd.

Thurchair iad air Dòmhnall Iain, co-dhiù, faisg air an Scott Monument, feasgar fuar, fliuch geamhraidh.

Bha Dòmhnall Iain cho dona leis an deoch 's gu robh e a' tuiteam às a sheasamh. Bha e air a bhith 'g òl fad trì latha, 's bha e bog fliuch. Agus a' bhriogais aige cho salach ris a' chù, far na thuit e. Bha dùil aige uaireannan gur h-ann a bha e ach ann an Steòrnabhagh. An làrna-mhàireach cha robh aon chuimhn' aige cò ris a thachair e, no gun thachair e ri duin' idir.

Ach, obh, obh, seachdain no dhà na dhèidh sin, cò chuir fàilt' air, am meadhan a' bhaile, ach Iain Murdo Choinnich an Einnsein, fear dhe na h-urramaich, a bha rithist na mhinistear air a' Bhac, agus dh'innis e dha sgeulachd dhuilich.

Dh'fhàiltich na balaich e, 's cha b' e 'n taing a b' fheàrr a fhuair iad. Bha iadsan deònach a thoirt leotha, 's a ghlanadh, 's a chùram a ghabhail. Ach, O, fhearaibhean, cha bu droch cainnt e gu sin. Chaidh na seachd deamhnan ann am fear Nis.

Dh'fhuadaich Dòmhnall Iain iad a thaigh na bids'.

Mhallaich e iad far-aon is fa leth.

Chuir e sìos air an eaglais.

Chuir e suarach a' Cholaist.

Chàin e dhaibh an Dia dhan robh iad a' sleuchdadh.

Dh'èirich ann am fear na misg na bha a dhonadas 's na bha ghamhlas na bhroinn, agus chàrn e sin air na h-urramaich. A' chlach-mhullaich gu na shìn e a làmh, b' e sin rann beag salach a chuala sinn uile nar n-òige. 'S nuair a dh'èigh e sin riutha, 's ann gu gàireachdainn a chaidh e dha feadhainn dhe na balaich sin.

"Ith mo chac air unns' tombac'," dh'èigh Dòmhnall Iain riutha. "Ith mo chac air truinnsear."

"Theab Calum Iain do bhualadh – theab e sgal a thoirt dhut," arsa mac Choinnich an Einnsein.

"Chan eil mi cur umhail air, gu dearbh," arsa Dòmhnall Iain. "Can riutha g' eil mi uabhasach duilich."

Mar a thuirt mi mu thràth, thug Dòmhnall Iain seachd bliadhna 'n ceann na h-obrach dìomhair sa. Mun àm a thug e 'n obair gu buil, ghabh e teoba aig an taigh ann an Nis.

Thug Iseabail Sheonaidh Mhòir dha an teisteanas a b' fheàrr. Thuirt British Railways nach b' e droch bhalach a bh' ann idir. Agus bha e na agent aig North Star Providential grunn math bhliadhnachan, a' toirt sgrìob leis a' chàr suas an Taobh Siar, 's a' tilleadh a h-uile h-oidhch' gu dhachaigh fhèin. Cha robh beatha Dhòmhnaill Iain cho taidhdidh 's a tha mi leigeil orm, ach sin rudeigin mar a bha i.

Bha 'n obair a bh' aige uabhasach freagarrach. Bha sgìre Nis fhathast làn de dhaoine aig an robh Gàidhlig a bha cho slàn 's cho fallain ri bonnach coirc is ri bonnach eòrna. Dh'fhalbh a' chuid mhòr dhiubh a-nis, 's a-chaoidh gu bràth cha bhi an samhail ann. Rud sam bith nach robh e tuigs', bha daoin' aige gu 'n deigheadh e.

Sgrìobh e sìos na seanfhacail.

"O, bha Murchadh mo bhràthair a' ruith anns na rudhailcean, bha e gu math gòrach," arsa bodach à Tabost ri Dòmhnall Iain 's iad a' seanchas 's a' smocaigeadh.

"Dè a-nis tha sin?" arsa fear an Insurance.

"O, tha . . . tha . . . dìreach gu robh e na amadan, an còmhnaidh a' ruith anns a' chunnart."

"Cha chuala mi riamh e."

"O, tà, chuala tu a-nis e," ars am bodach.

Sheall Dòmhnall Iain anns a h-uile faclair, ach bu dìomhain sin dha. Thug e dà bhliadhn' is còrr mus do thuig e co às a dh'fhalbh am facal. Dhrùidh e air 's e tighinn tro mòinteach Bharabhais sa chàr. Bha cuimhn' aige riamh tuilleadh air an dearbh àit' far na thurchair e bhith.

"Ro-aircean," ars esan. "An diabhal orms'."

Sgrìobh e sìos na seanfhacail. Rud sam bith a bha tarraing aire. 'Bha sgleòtag a' dèanamh trì goilean air na cnàmhan.' Rud sam bith. Ma bha prais iarainn a' faighinn na sitig, bhoill, ghabhadh esan i, 's dhèanadh e àite dhi san t-sabhal.

'S e Dòmhnall Iain a fhuair 's a ghlèidh 'Òran an Aspro', agus iomadach rabhd is rann a thuilleadh air.

"O," arsa bodach às a' Chnoc Àrd, ro àm a' Chogaidh Mhòir:

"*Tha mi nis dol a mholadh an Aspro,*
's mi tha toilicht gun tàine tu 'n t-astar
bho chionn bliadhna no dhà.

'S math dhuinne gun tàine tu 'n taobh sa,
thu fhèin is peinnsean na seann aoise,
a fhreasgairt oirnn.

Tha fèill ort eadar seo agus Hiort,
airson cròchan is cnatan is ceann goirt,
's chan iongnadh e.

Cha mhoth' thu na chlach-mheallain,
ach tha thu mòr na mo shealladh-s',
fhir bhig ghil.

'S tu ghabhas mi ma thig a' chasdaich orm,
is grìs fhuachd mu na h-asnaichean,
fiù 's ron bhranndaidh.

'S cha shaoilinn e cus dhomh a phàigheadh,
ged bhiodh tu dhaoiread eile 's a tha thu,
a nì cobhair is furtachd.

'S tu mharbhas pian na siataig
a bhios tro m' altan bochd a' riagail,
aig amannan.

Ìosa Crìosd mo dhìon a-ghnàth,
mo thaing aige rithist air do sgàth,
a bheir faochadh obann.

Air pian is goirteas b' eòlach E,
fuasgladh sìorraidh dh'òrdaich E,
tre fhulang mhòir."

Ach tha mi dol seachad air mo sheanchas. Bha Dòmhnall Iain an Dùn Èideann 's e air a dhol an sàs ann an John Donne, D.D. Dubh-obair chruaidh air am biodh goirt an ceannach aige.

Baile fuar, fad' às a bha seo. "'S e gu robh mi fhìn fuar, fad' às a dh'fhàg mi sa bhaile chac s'," ars esan ri Simon Jackson, Sasann-ach àrd eireachdail le sròin chrom agus ceum luath, cabhagach. Briseadh-dùil a bh' ann dha athair, Sir Rupert Jackson, neo 'Jack' Jackson, a bha àrd san Diplomatic Service.

Bha Simon a' dèanamh feallsanachd. Ach an dèidh bliadhna, sguir e a dhol gu na clasaichean. Bhiodh e a' sgrìobhadh 's a' leughadh 's a' peantadh 's a' coiseachd le ceum luath tro shràidean Dhùn Èideann 's a chòta fosgailt'. Ad bhrèagha mu cheann agus stoc dhathach a' sruthadh thar a ghualainn. Nuair a gheibheadh e carbhaidh ùr cha deigheadh iad a-mach air toll dorais fad seachdain. Gus an teirigeadh am biadh. S dòch' gu seotadh e mach airson uisge-beath' no bruisean ùra no amphetamines.

Bha Beurla bhrèagha a' sruthadh gu nàdarrach far a bhilean. Mar a shùilicheadh tu bho bhalach a bh' air deagh fhoghlam fhaotainn ann an sgoil ainmeil Winchester.

'S ann aige a chuala eadar-theangair John Donne facail a leithid 'disingenuous', 'freaked-out', 'seriously at odds', 'concupiscence', 'clap to the echo', 'conflate', 'egregious'.

Dh'fhalbh ambaileans leis aon oidhch' 's e air a bhith coiseachd na sràid ann an gun-oidhch' boireannaich.

An ath thuras a chunnaic Dòmhnall Iain e, cha do chuir e

aon srad ann. Bha 'n t-aodann aige dùint' ann am feusag ruadh agus a cheum 's a chroit mall, faiceallach. Bha na dotairean air a shìtheachadh. 'S ged a bha 'n t-aodach a bh' air glè ghlan, cha robh loinn sam bith air. Thàinig e a chèilidh air Dòmhnall Iain out of the blue, latha brèagha Sàboind, mus do thachair seo. Bha e dìreach air pìos bàrdachd a sgrìobhadh le peansail. Sheall e seo do Dhòmhnall Iain. Seach gu robh an t-Albannach down in the dumps, thuirt Simon ris a ghleidheadh. "Why don't you have it. Keep it. Good luck."

Chuir e làmh air gualainn Dhòmhnaill Iain, 's dh'fhalbh e le ceum luath. Chan fhuilingeadh e daoine a bha dubhach.

Ghlèidh Dòmhnall Iain seo, 's tha e aige fhathast ann am broinn leabhair.

Os cionn na bàrdachd tha sgrìobht', ann an làmh-sgrìobhaidh a shean charaid, 'Simon's Sunday Poem 1969'. Agus an uair sin a' bhàrdachd fhèin.

Before the World of sex and alcohol and drugs –
The World of Gas and stars and peace and Unity and Love –
And God presumably created these
That we might ALL eventually
Enjoy the pleasure of His company,
Sitting on each other's knees.

Rivers, mountains, valleys, streams,
These are part and parcel of his dream,
The baby cries, the mental patient screams.

Many Levels, Many Vices,
Split and crackle in a Joke.

Have a fag, have a Poke.
Death is a friend – remember?

A' chiad rann dhith a b' fheàrr le Dòmhnall Iain. Ach ghlèidh e a' bhàrdachd, mar a thugadh dha i. "Balbhan an t-saoghail mhòir mise," ars esan ris fhèin, "aig a bheil dà chànan, 's gun liut agam air tè seach tè."

Bha Dòmhnall Iain taingeil nach fhaiceadh sùil, 's nach cluinneadh cluas, na h-ionnsaighean breòit' a thug e air John Donne.

'Dìdean mo chrìdh' buail agus bris, a Dhè . . .'

Thug e ceithir bliadhna ris an dàrna loidhne. Thòisich e rithist. Stiall e às a chèile na rinn e.

"Daingneach mo chridhe leag, a Dhè Thrì-Phearsant' . . . O mo chreach-s'!"

Sguir e. Theich e. Ghabh e cuairtean fada. Chaidh e dhachaigh a Nis. Leugh e *Treasure Island* agus *Robinson Crusoe* ach am faigheadh e fois is faochadh. Ghabh e 'n deoch. Chrom e cheann. Cheannaich e Bìoball Gàidhlig. Leugh e na sailm. Leugh e Isaiah. Bha truas aige ris fhèin. Leugh e Iob. Cheannaich e faclair Edward Dwelly. Cheasnaich e a chàirdean mu dheidhinn siud is seo a dh'fhacal.

Leugh e laoidhean. Leugh e *Turas a' Chrìosdaidh.*

Agus mu dheireadh thall bha e deiseil, agus chunnaic Dòmhnall Iain nach robh e math.

Cha robh e ro mhath, ach cha deigheadh aig' air dèanamh na b' fheàrr.

Bonnach gu math greòsgach a bh' ann, 's cha robh e mòr no taisealach. Ach O, a chiall agus a shaoghail, na bha 'n crochadh ris, agus O, shìorraidh, na thàinig na lùib:

Cog ri mo chridh', a Dhè Thrì-Phearsanta,
cha d' rinn thu dad ach gnogadh gus a seo.
Dh'iath thu mi led anail chaoimh,
le do sholas rèidh mun cuairt,
's tu 'g iarraidh fad na h-ùin'
gus mis' a leasachadh.
Chum 's gum bi agam cothrom èirigh
gu mo chasan is seasamh dìreach,
cuir ri talamh mi.
Cruinnich do chumhachd am aghaidh,
bris mi, sèid, loisg mi,
cruthaich mi gu tur às ùr.
Mar bhaile mis' a tha fo chìs aig eucorach.
Is dìomhain dhomh bhith saothrachadh
ri do leigeil a-steach am làthair.
Mo thuigs' air a cuingealachadh,
as còir mo riaghladh mar bu mhath leat,
as còir mo dhìon-sa o gach olc.
Cha daingeann i 's cha dìleas.
'S mòr mo ghràdh ort.
Lùiginn thu bhith dlùth an dàimh rium.
Ach 's ann a tha mi le do nàmhaid,
gheall mi dha gur h-e bhiodh agam.
Sgar thusa mi uaithesan,
sgaoil an snaidhm sin às a chèile,
dèan bloighean air sa bhad.
Thoir leat mi, cuir fon ghlais mi,
oir cha bhi mise saor
mura dèan thu tràill dhiom.

Is fìorghlan cha bhi mi
mura dèan thu fhèin mo gharbh-ghlacadh
's mo mhealtainn air m' fheadh.

A' Chliutag

Cha robh a' Chliutag sa chogadh idir, cha ghabhadh iad e.

Cha chuala Dòmhnall Iain cus bruidhinn a-riamh air carson. Ri chiad chuimhne bhiodh a' Chliutag a' falbh chun obair-là, ach an uair sin sguir e.

Thill e turas 's gun dùil ris. Chunnaic Dòmhnall Iain a' tighinn e, a-steach mun bhuaile, le ceas, agus ruith e na choinneimh.

Dheàlraich aodann na Cliutaig mar a b' àbhaist, agus rug e air làimh air Dòmhnall Iain, rud nach biodh duine a' dèanamh ach e fhèin. Làmh chruaidh làidir. Ach a rèir colais cha robh an làmh chlì faisg cho math. Dh'fhàsadh i sgìth 's cha dùineadh i ceart mu chas na spaid.

Bha a' Chliutag air a dhol gu fhois shìorraidh bho chionn iomadach bliadhna mus do thuig Dòmhnall Iain mar a bha e ga ionndrain. Bhon a bhiodh e 'n taigh a sheanar gun fhalbh às, agus seach gu robh e fhèin is Doilidh Beag mu na comhaoisean, bha e eòlach san taigh ac'.

An toiseach, b' ann aigesan a bha làmh-an-uachdair, ach goirid an dèidh dhaibh a dhol dhan sgoil, dh'atharraich sin. Gheibheadh Doilidh Beag an t-uabhas leis, am broinn an taigh' agus a-muigh timcheall. Taigh-dubh a bh' aig muinntir na Cliutaig, a bha leantainn an leothaid, an cùl na h-Àirde.

Latha brèagha samhraidh, 's iad a' cluich a-muigh, 's iad fhathast gun a dhol dhan sgoil, ghabh Doilidh Beag gu mùn air an uinneig.

"Feuch an sguir thu," dh'èigh a' Chliutag bho staigh, ach cha do charaich e mach. 'S cha do sguir Doilidh Beag gus nach robh dileag air fhàgail aige.

Mu dheireadh b' i a mhàthair a bu dòcha seasamh aige, is dèiseag a thoirt dha mun tòin.

Bha bràthair-athar aig a' Chliutaig a phòs tè à Grangemouth, 's a rinn a dhachaigh ann an sin. Cha robh Nollaig nach tigeadh preusantan bho Jessie Dhòmhnaill.

Gu h-àraid sa gheamhradh, bha e math a bhith na do shuidhe uaireachan mòr a thìd' ann an taigh na Cliutaig, agus earball na gaoith a' siabadh mun doras, agus craos mòr fosgailt na mara a' bagairt air tìr is fearann. Bha Chrissie Ann bliadhna na bu shine na Doilidh Beag.

"Dè tha thu leughadh an sin?" ars a h-athair rithe.

"*The Invincible Trio*," arsa Chrissie Ann. Thuirt Dòmhnall Iain gur h-e bu chòir dhi bhith air a chantainn ach "*The Invisible Trio*."

Thubhairt 's Doilidh Beag. 'S cha tuirt a' Chliutag dùrd, ach na shuidhe air an t-seat a' smocaigeadh na pìob.

Ach nach ann a sheall Chrissie Ann cobhar an leabhair dhaibh, agus chunnaic iad gur h-i bha ceart, 's chaidh iad sàmhach.

Bha nàir' air Dòmhnall Iain nach robh fios aige air an fhacal. 'S chan fhaighnicheadh e dè bha e ciallachadh, leis na bh' air de thàmailt.

Cha robh e cho nàr leis, ge-tà, neo faisg, ris mar a thachair dha an clas Miss MacLeod. Air Clas Two. Far na dh'ionnsaich iad sgrìobhadh is tables is vulgar fractions. Agus far an robh agad ri leughadh às an leabhar, 's tu na do sheasamh.

"One moonlit night the dog met his cousin the wolf," leugh Dòmhnall Iain, 's chaidh leis glè mhath.

Ach là eile, 's e na sheasamh, thàinig e tarsainn air 'demon'.

Cha do chuir sin grabadh sam bith air. Thuirt e 'demon' an aon dòigh 's a chanadh e 'lemon'. Cha robh teagamh sam bith aige nach e sin a bha ceart.

Thòisich an clas a' gàireachdainn. Cha do chaisg Miss MacLeod iad. Bha gàire beag air a h-aodann fhèin. 'S bha i 'g obair air a grìogagan, mar a b' àbhaist, 's air cùl a fuilt. Chunnaic Dòmhnall Iain gun chòrd e rithe gu robh e air a dhol ceàrr. Thuirt i fhèin ri Doileag a' Phluic, tidsear na clainne bige, gu robh dhà na thrì a lìogairean air a' chlas aices', 's gur esan aon dhiubh.

Chuir i a rànail e latha eile agus cuistean air failleachadh air. Thug i 'm pointer dha mu chaol an dùirn.

Mus tàinig a' gheur-leanmhainn sin air – O, fada roimhe, 's dòcha bliadhna – thàinig Doilidh Beag air a thòir, 's thuirt e ris gun d' fhuair esan orainsearan is ùbhlan is cnothan na stocainn.

Air orainsearan bha Dòmhnall Iain eòlach, air ùbhlan cuideachd. Nuair a chual' e 'cnothan', dè a chunnaic e shìos am broinn stocainn Dhoilidh Bhig ach crodhanan bà.

Ach dè bha roimhe, an taigh na Cliutaig, ach orainsearan is ùbhlan agus . . . cnothan. Cha robh e riamh air am faicinn: gall-chnothan liorcach agus cnothan cruinne calltainn.

Bhris iad na cnothan leis a' chlobh', air an leac air beulaibh an teine. Is bhlais iad orra. Cha robh oisean dhiubh nach do sgrùd sùil is corrag.

Air lathaichean neo-charthannach, neo-chaomh, ma-tha, 's a' ghaoth a' sgiùrsadh na glasaich, is corra chù a' leantainn ràtar fiar, 's ga chall, 's ga lorg a-rithist, dhèanadh Dòmhnall Iain e fhèin aig an taigh ann an taigh na Cliutaig.

'S air lathaichean geamhraidh eile, 's am muir a' leum geal far na creige cho àrd ri taigh, is sneachd air stad ann an slagan an tughaidh, 's na churrac geal air bàrr nam post-feans, 's na starragan nam fògarraich a-mach os cionn cuithe rèidh, len guthan garbha ròcanach, dheigheadh Dòmhnall Iain a thaigh na Cliutaig.

A bhiodh a' slìobadh mullach a chinn fhad 's a bhiodh e ris an altachadh – uaireannan 's dòcha trì mionaidean, ceithir, còig. 'S na bh' aige ri ràdh ris a' Chruithear na shanais nach cluinneadh tu buileach, 's a thug buaidh air a' bhalach a bha feitheamh gus am faodadh e làmh a shìneadh gu buntàt' is sgadan, no gu cudaigean is aran-coirc.

A' Chliutag nach cual' e riamh a' càineadh duine, nach nàraicheadh balach, 's nach tigeadh trom air, nach robh a-riamh ach gast, nach biodh a' bruidhinn air fhèin, 's a bha sìtheil ri bhean.

An tac an teine bhiodh e fhèin is Doilidh Beag a' dèanamh smoc le calcas is stiallag de phàipear-naidheachd.

Neo a' tarraing buntàta ròst às a' ghrìosaich.

Neo a' cur nam beillean 's a' brùchdail.

"Istibh. Istibh a-nis," chanadh esan, 's e leughadh a' phàipeir.

Ma thug e 'n aire dha fhèin 's dha Doilidh Beag a' tarraing nan sgiathan às na cuileagan a bha taobh-staigh na h-uinneige, cha tuirt e dùrd.

'S iongantach gun mhothaich e, oir bha 'n t-uabhas a' dol seachad air.

Bha a' Chliutag aig an obair-latha faisg air a' Ghearastan. Ron chogadh. Cha b' e fhèin a dh'innis seo ach fear à Dail a bha còmhla ris.

Bha gafair ac' a bha salach air a bheul, agus tàireil leis. Bhiodh e 'g iomchar air balaich na Gàidhlig. Mar gum biodh bith aige dhaibh.

Co-dhiù, thuirt e rudeigin, agus leig Iain às a' phioc. "A ghrìochaire ghuirm . . ." chuala fear Dhail a' Chliutag ag ràdh.

'S chaidh e null 's tharraing e air i. Chuir e na phliac an duine sin. Thug e greis mus do dh'èirich e. Na laighe air an rathad a bha iad ag obair a' càradh.

Fhuair e mhothachadh mu dheireadh.

Dh'iarr a' Chliutag mathanas air. "I haven't hit anybody since I was a boy," ars esan ris.

Ach fhuair e a leabhraichean co-dhiù, 's b' fheudar dha tilleadh dhachaigh.

Thug Mèireag a bhean greis mhath air mhuinntireas ann an Lunnainn. Dh'innis i seanchas dhaibh, 's iad beag, a lean ri Dòmhnall Iain mar a leanas lèig ri bonn bròig.

"Thàinig boireannach le flèide dhubh a shealltainn air tè dhen chlann-nighinn Ghalld'. Agus," ars ise, "ged nach fhaca mise seo le mo shùilean fhìn, 's e aodann muic a bh' oirre. Cha robh i toirt dhith na flèide sin uair sam bith."

Thog e bho Mhèireag gur e breitheanas a thàinig air a' bhoireannach sa, 's air a pàrantan.

"An dùil dè rinn iad?" ars esan ri Doilidh Beag.

Ach cha robh duine dhen dithis aca ro gheallmhor air faighinn a-mach.

Am Bromaire Mòr

’S nàr leam aideachadh nach eil fhios a’m dè an aois a bha Tormod nuair a bhruadair e bruadar a’ bhromaire mhòir. ’S dòch’ gu robh e trì bliadhn’ deug. Neo beagan na bu shine. Cha robh ann co-dhiù ach an giullan maoth. Bho thoiseach na h-aisling bha e mu thràth air an t-slighe, a cheann-uidhe fa chomhair inntinn, ’s e dol ’s a’ dol. Bha e dol ’s gun fhiaradh air, fad trì latha, a latha ’s a dh’oidhch’, tro choilltean uaigneach is tro gharbhlaich. ’S e dèanamh air bodach a bha fuireach leis fhèin, deagh phìos às. Agus rud aige a bha Tormod ag iarraidh.

Cha b’ ann ag iarraidh ach a’ fìor lùigeachdainn. Cha b’ ann a’ fìor lùigeachdainn ach a’ sìor mhiannachadh le uile chridhe, ’s a’ dleasadh dha fhèin le uile neart gu sìorraidh buan.

Choisich e casruisgt tro abhainn fhuar, air an robh cabhaig eadar bruaichean farsaing. Lùthmhor a bras-shruth cuaileanach, cuisleach, sgeireach, brist’. Agus ro eu-domhainn airson a snàmh. Cha mhòr nach tug i a chasan bhuaithe. Thàinig luairean air a-muigh na meadhan, far am bu duirch’ i, far am b’ astaraich’. ’S i ri snìomh ’s a’ toinneamh a slighe sìos roimhp’ mar ròpa dubh. Nan tuiteadh e, dh’fhalbhadh i leis agus gheibheadh e sgailceadh mu na sgeirean.

Stad e. Stòlaig e e fhèin le buille dhe shùil a-null tarsainn, agus cumhachd na h-aibhne na ghobhal ’s a’ sàthadh air ploc na tòine. Bha clachan corrach, biorach na bonn a gheàrr ’s a sgiol e. Agus olbhagan cnapach cruinn a bha cho sleamhainn ri botal. ’S na bha sìos eatarra de thuill 's de chòsan grànda, cama, cumhang, a' glacadh 's a' glasadh caol na cois, 's ga tionndadh, 's ga sgochadh, 's ga leòn gu goirt. 'S ma fhuair e null, cha b' ann gun fhios aig' air, 's ma bhuannaich e tarsainn, cha b' ann gun dochann.

An dèidh na spàirn sa leig e anail a-staigh air cùl easa.

Staigh ann an sin san eadar-sholas, far nach leagte sùil air, bha dreathan-donn ga nighe fhèin ann an slaig bhig nach bu mhotha na copan. A' tomadh 's a' bocadh ceann is com a h-uile ceann tiotadh, 's a' crathadh a sgiathan.

Ann an sgoltadh nan creag bha raineach ùr a' fàs na spreodan fada fallain gorm. A bha dùint' gus bho chionn ghoirid, agus paisgt' air fhèin na chuibhleachan teanna, 's a bha nis air a sgaoileadh fhèin a-mach. Ach cha do rinn Tormod dàil. Ghreas e a cheum, 's cha b' fhada gus nach robh seirm is faram nan uisgeachan tuilleadh na chluais.

Dh'èirich falt a chinn a' chiad oidhch' a chual' e bùireil is burralaich nam madadh-allaidh, 's iad ag adhradh do sheann bhloigh dhen ghealaich. 'S a-rithist nuair a thug e fa-near iad a' togail na fuinn, na sròinean aca togte suas, cuid dhiubh bus ri bus, an sùilean dùint', is càirdeas sìorraidh ac' ga chumail.

Mu dheireadh thall, air latha dorch, thàinig e gu oir coille agus chunnaic e taigh gun cheò gun sholas. Chluinneadh e èigheachd nan creach agus sgiamhail bho staigh. A' dol na b'fhaisg', chunnaic e gu robh na dorsan far am banntaichean. 'S nuair a bha a chas air taobh-a-staigh na starsaich, 's a chleachd a shùil air dubh is duibhre, rinn e mach duine mòr, cnàmhach, a bha greis latha, na sheasamh am meadhan an làir agus sgèan na shùilean.

Bha mucan is uirceanan a' ruitheadaich a-mach 's a-steach 's a h-uile taobh.

"Siuthad! Siuthad!" dh'èigh am bodach gruamach sa ri Tormod. Fàilteachadh cha d' fhuair e ach sin.

Thuig Tormod gu robh am bodach ag iarraidh air na beathaichean fhuadach chun na sitig. Ach bha na dorsan brist. Bha 'n fhàrdaich s' na bu shalaiche na bàthach a chunnaic Tormod na bheath', agus fàileadh innt' a leagadh tu às do sheasamh.

Bhuail e a bhoisean na chèile, agus ruith iad is sgap iad, ach cha b' fhada gus na thill iad.

Mu amhaich a' bhodaich, air iall caol, salach leathair, chunnaic Tormod clach bheag gheal is toll troimhp'. "Tha mi 'g iarraidh na claich'," arsa Tormod ris.

Leig am bodach braidhm. Agus chunnaic Tormod gur e bha seo ach cùis-thruais 's nach b' e cùis-eagail, le fhalt caraigeach nach fhaca cìr, 's a chuid aodaich cho grod. Aodach às nach robh e air a thighinn, a latha no dh'oidhch', seachdainean fada gun Shàboind air sreath.

Cha robh dad a chuimhn' aig a' bhodach gu robh a' chlach mu amhaich.

"Dè bheir mi dhut oirr'?" arsa Tormod, ach cha robh seo gu feum sam bith dha. Bha 'm Bromaire Mòr a' cuachaill timcheall, 's a' toirt riag a-mach, 's a' stad, 's ag èigheachd, 's a' còmhradh ris fhèin gu dian, 's bho àm gu àm a' leigeil às plath gaoithe.

Bha de sgreamh is de dh'oillt air Tormod na dh'fhòghnadh do thriùir, ach cha robh a chridhe falamh de dh'iochd.

Bha 'm bodach a' toirt a-steach bràthair-athar air. Coinneach mùdach, dùdach, frionasach, an-amharasach na h-an-aimsir. A bhiodh uaireannan ga chall fhèin leis an droch nàdar timcheall a' chruidh. A bhiodh a' guidheachan dha na daimh, 's a' siamaich dha na gamhna, nuair nach gabhadh iad a chomhairl' 's a ruitheadh

iad air, an àite dhol tron a' gheat'. Ruitheadh iadsan an uair sin
a-rithist, air lost mar a bha esan, a' sadadh an casan-deiridh gu
deas is gu tuath, 's a' toirt dùbhlan dha ann an ciaradh an fheasgair,
's gun an còrr ac' ri dhèanamh.

Ged a bha 'm bodach sa na dhuine gun shoisgeul, gun sholas,
agus broinn na dachaigh aige na fìor mò-rà is na muic-maic,
uaireigin, 's dòcha, bha bean aige, is teaghlach, is tuigs' is toinisg
gu leòr. Air an robh nise dìochuimhn'. A bh' air ithe beò le
iormaidh agus air a chlàbhadh le mucan crosta.

Ciamar a gheibheadh Tormod a' chlach cha robh fios aige. Bha
bàrdachd is ceòl, fiosachd is gliocas, co-cheangailte rithe. Duine
a chuireadh a shùil ri toll na claiche, le cogais ghlan is cridhe gun
fhoill, gheibheadh e sealladh air mòran. Chaidh Tormod a-null
far an robh am bodach agus thuirt e ris, "Nach toir sibh dhomh
a' chlach a th' agaibh mur n-amhaich, agus gabhaidh mi fhìn a
cùram."

Gun fhacal, agus cho solt ri uan, thug am bodach a' chlach bho
amhaich agus shìn e mach a làmh leatha, agus ghabh Tormod i.

"Tapadh leibhse," arsa Tormod, a bha riamh còir agus fialaidh.
Ach an dèidh sin, a rèir colais, cha robh e ullamh is deiseil airson
a gabhail. Cha leigeadh a' mhì-chàil leis a' chlach a chur mu
amhaich fhèin far am biodh i air a bhith sàbhailt. An àite sin,
bhris e iall salach leathair an t-seana bhodaich bhochd agus shad
e gu làr i. Agus ghlèidh e clach gheal na sùla gu tèarainte, na
bheachd fhèin, ann an glaic a làimhe.

Agus b' e sin car a' mhì-sheilbh.

Thàinig air an uair sin torc dubh. Thàinig air mar a' ghaoth
biast de thorc dubh. Dà sgor-fhiacail ag èirigh às a charbard.
Fiaclan fada fiara. Fada, cama, gus rùsladh. Garbh gus rèiteach

is cumail rian. A fhuair an geurachadh air rùsg nan craobh. Bàrr-chaol gus a dhol domhainn. Crom-fhiaclan a' chiùrraidh. Fada, puinnseanta, buidhe, nach tionndaidheadh air falbh ach a leònadh 's a shadadh a dh'aon ionnsaigh.

Thàinig air gun fhiosta bho chùlaibh an torc mòr cumhachd-ach. Thàinig e air mar ioma-ghaoith, cullach na coille, cabhagach, cunnartach, dearg-shùileach, 's cha robh fòir air. Cullach neo-athach nan dealg 's nan calg 's nam bior.

À deireadh a shùl mhothaich Tormod dha. Shìos na bhonnan dh'fhairbhein e foirm is faram. Thionndaidh e 's chuir e aghaidh air. Ach chaidh aig a' bheathach air a ghearradh san t-sliasaid san dol-seachad, agus chaidh riaghan fala sìos mu iosgaid is mu chalp, agus sìos a bhroinn a bhròig.

Rug e air cabar maide a bha uaireigin na ursainn, leum e às an rathad airsan a bha rithist a' dèanamh air a bheath', agus thug e dha e mar a laigheadh e air, mu bhun a chlaiginn.

Cha do stad am beathach. Chùm e dol. A-mach dhan dubhar às an tàinig e. 'S cha do thill.

Am measg na h-ùpraid chaill Tormod a' chlach. Thòisich e a' sporghail air a son am measg na bh' air an làr de shalchar. Gun e fhèin a ghànrachadh, droch theans gu lorgt' i. Ach sìos gun deach e air a chorra-biod co-dhiù, agus sin far an robh e, a' spògail 's a' sporghail 's a' caogadh, nuair a dhùisg e na leabaidh fhèin, agus ùilleag fallais air a mhaol, mar as dèidh daoraich.

Chan eil fhios againne dè ciall na h-aisling sa, no fiù 's a bheil ciall aic'. Faodar a ràdh le cinnt gur e Torc am far-ainm a bh' air a shinn-seanair. Ach càit an tèid thu à sin? Cha bhiodh tu ach a' togail buatham na bochdainn air a' ghnothaich sa gu lèir. Dh'fheumadh Iòsaph a choreigin a thighinn nar measg agus, air dha cnuasachadh, breithneachadh a dhèanamh.

'Sport'

'S ann a' snaidhm clò a bha Sport. Mar sin, bha a' bheart na tosd. Cha chuir mise ceart ann an seo dè an seòrsa clò a bha e cur innt'. An e clò plèana glas a bh' ann, no clò srianagach ceithir-spàil. No an robh aige ri atharrachadh na tappets. Co-dhiù, bha an clò a thàinig aist' aige fhèin 's aig Tormod air a phasgadh. Bhiodh e shuas air mullach pilear a' gheat' sa mhadainn, mus tigeadh làraidh Tod, no làraidh Newall, no làraidh MacKenzie no làraidh Choinnich Rod.

Bha Tormod air a tharraing gu bhith ann an cuideachd an Sport le bannan gràidh, 's carson a bhiodh sinn diùid ga aideachadh.

"Chan eil fhios a'm," ars Eirig, a bha pòst' aig Coinneach bràthair-athar. "Chan eil fhios a'm dè 'n dunmhaireachd a th' ort sìos ann an sin," ars ise ris a' bhalach aon latha agus eudachd ga brodadh.

Bhoill, cha robh a fhreagairt a-riamh glè fhada bho Tormod, agus 's e a thuirt e rithe san fhalbh, "Chan eil na agams', ach tillidh mi 's innsidh mi dhut, ma gheibh mi mach."

Co-dhiù, cha leigeadh Tormod beul às an Sport gus an innseadh e sgeulachd dha. Sgeulachd cheart. A bheireadh caogadh air sùil, a chuireadh aigne air ghleus, 's a chuireadh disearachd fhuar sìos cnàimh a dhroma.

"Ma lìonas tu dhòmhsa de dh'iteachanan na chumas a' dol mi gus an tig thu às an sgoil a-màireach . . . "

"Chan eil fhios fhathast an tèid mi dhan sgoil . . ."

"Tha cabhaig air a' chlò s', 'ille," arsa Sport, "agus innsidh mise rudeigin dhut ma lìonas tu 'm bucas ud gu bheul."

"Chan e 'rudeigin' idir," arsa Tormod. "Taigh na croich air a sin."

Bha Sport sàmhach, 's a cheann a-steach a chùl na beairt, 's e dèanamh snaidhm an dèidh snaidhm.

"All right," arsa Sport mu dheireadh, agus rinn iad bargan. Shuidh Tormod air an dìollaid chlò air am biodh Sport a' suidhe chon na beairt.

Chùm esan air a' snaimeadh. "Bha fear ann an seo uaireigin, 's chan eil cho buileach fada sin bhuaithe, air an robh Dòmhnall 'Ain 'Ic Dhòmhnaill, a bha 'n càirdeas dha mo sheanmhair Chrois, san linn a dh'fhalbh. Bha 'm bodach a bha seo a' fuireach leis fhèin. Cha do phòs e. Mar a chuala mis', bha e a' suirghe air tè na òige. Thàinig an eitig innt' agus bhàsaich i. Cha robh i ach fichead bliadhna, ma bha i sin fhèin.

"An oidhche bha seo bha 'm bodach a' tilleadh bho chèilidh. Bha 'n oidhche air fàs fada, 's cha robh 'n èis dhen ghealaich ach leus beag bochd.

"Chunna tu crùisgean – bhoill, bha a' ghealach colach ri coinneal no ri crùisgean a bh' air bàsachadh sìos agus a bha gus a dhol às. 'S a bhios a' sadadh a-mach guailnean grànda dorchadais mun cuairt. Sin an seòrs' oidhch' a bh' ann, oidhch' air an robh droch colas.

"Nuair a ràinig e dhachaigh, 's a chaidh e seachad air an uinneig aige fhèin, uinneag bheag am bun an tughaidh, nach ann a chunnaic e gu robh solas air a-staigh. Chan urra dhòmhsa bhith cinnteach dè an seòrsa lamp a bh' aig a' bhodach – 's

45

dòch' gu robh làmpa mhòr glob aige, le dà shiobhaig, bhon b' e a bh' ann dheth ach fear a bha geallmhor air a bhith leughadh na Fìrinn, agus 's iongantach leamsa mura biodh lampa mhath aige.

"'S e bh' ann ach bodach speiseant, co-dhiù, agus tuigidh tu sin. Na daoine bhon tàine mis', 's e bh' annt' ach sàr dhaoine, ach dìreach Uilleam fhèin air nach dèan sinn ach iomradh san dol seachad.

"Nuair a chaidh e seachad air an uinneig aige fhèin," ars an snaidhmiche, "nach ann a dh'fhidir e gu robh solas air, rud nach bu chòir. Nise, a bharrachd air nach bu chòir dha a bhith, cha ghabhadh e bhith, oir bha 'n t-sreang ceangailt' mun tarrag, agus an cnot oirre mar a dh'fhàg e fhèin i.

"Thàinig bualadh làidir air a chridhe. Chluinneadh e a chridhe na chluasan, a' pumpadh na fala.

"Thug e greis aig an doras na sheasamh mus do mheantraig e dhol a-steach, a' suathadh aodainn agus a' miannachadh gu robh cuideigin còmhla ris.

"Bha 'n coileach 's na cearcan sàmhach a-staigh air an spiris. Cha robh diurra-bhig ac'. Ach ann an taigh beag an eich bha 'n laochan sin an-fhoiseil. Chluinneadh e a chasan a' clampadaich 's ag obair, agus sèideadh air anail.

"Thug e greis ann an sin, mar a tha mi cantainn riut . . ."

Sheas an Sport agus rinn e a dhruim dìreach, agus thuirt e, "Agus . . . agus . . .", agus choisich e timcheall.

"Thug e greis ann an sin a' suathadh aodainn agus a' miann-achadh gu faodadh e tilleadh far an tàinig e, ach am biodh cuideachd aige. Ach bhiodh na daoine sin mar-tha air an t-adhradh a chuartachadh agus bhiodh iad nan suidhe còmhla le bobhla 'n duine de bhainne goirt agus mìr eòrna. Chuireadh e neònachas orra nan tilleadh e.

"'S e bh' ann ach duine riogalair, òrdail, a bha 'g iarraidh a h-uile càil na àit' mar bu chòir is mar bu nòs, sradag dhearg ron an spaid, sradag ghorm ron a' gheamhlaig, 's a h-uile nì a' leantainn a chùrs' nàdarraich. Cha robh 'n t-each air a dhòigh, mar a thubhairt mi – b' fhada bhuaith' e – agus thuirt am bodach air a shocair, 'Dìon mi o gach olc, a Thighearna mo Dhia,' agus na bh' air de luaths-analach a' buntainn ri chòmhradh.

"Dh'fhuasgail e 'n t-sreang, chrom e a cheann agus shàth e 'n doras roimhe.

"Dh'fhosgail e 'n doras a bha dol suas, doras a' bhùird-isein, agus chunnaic e duine na shuidhe ann an sin air an t-seat, ga amharc, 's gun aon stiall aodaich air ach luirmeach mar a rugadh e.

"Cha robh e òg 's cha robh e aost. Cha robh e beag 's cha robh e mòr.

"Bu mhath do Dhòmhnall gu robh grèim aig' air a' phìob, agus theannaich a dhà làimh uimpe an uair sin, tuigidh tu fhèin.

"'A chiall,' ars esan mu dheireadh. 'A shaoghail,' ars esan, agus a chuid còmhraidh a' tighinn na chnapan. 'Gu dè tha . . . gu dè tha seo!'

"'Feasgar math,' deir an duine, gun èirigh, ann an guth cleachdte. Guth anns an robh ùghdarras, colach ri guth ministeir, no guth fir-lagha.

"'Dèan mar a their mis',' ars an duine, anns a' ghuth ghleust a bha seo, ''s cha bhi feagal dhut.'

"'A, nì mise sin,' ars am bodach, 'nì mise sin, mura mì-thoilich e Ìosa Crìosd anns a bheil mo dhòchas.'

" 'Seadh, seadh,' ars am fear eile. 'Nise, faigh dhòmhsa aodach mar a th' ort fhèin.'

" 'Gheibh thu sin,' ars am bodach. Chaidh e chun na cist' agus lorg e gach ball-aodaich, eadar siomad is drabhars-fhada, oir bha fuachd air a thighinn dhan bhliadhna, lèine, briogais 's a h-uile nì, fiù 's stocainnean is bonaid.

"Aon dìth a bh' air fhathast – 's e sin brògan, oir bha 'm bodach air aon phaidhir bhròg aig an àm, ach gu robh sean fheadhainn aige a bhiodh air a' cartadh easar na bà, 's a' cur a-mach an todhair. Sean rabhlagan cama. Sheas an duin' ann an sin, 's e cho dalma 's a thogras tu, 's chuir e uime. Cha do rinn e fiù 's a chùlaibh a thionndadh, 's mar a chitheadh duine cha robh nàire na ghnè.

"Mu dheireadh, ma-tha, chuir e air am bonaid, agus ars esan, 'Brògan a-nis, 's faodaidh mi gabhail romham suas an sgìre.'

" 'A,' ars am bodach, "chan eil agams' ach na brògan a tha thu faicinn mu mo chasan.'

" 'Nì iad sin a' chùis, dìreach glan,' ars am fear-cèilidh.

"Shaoil am bodach seo car neònach. Cha chanadh duin' à Nis siud, no duin' à Leòdhas. 'Glè mhath', 's dòch', no 'Ciatach', no 'Bidh sin cho math 's a ghabhas'.

" 'Saoilidh mise,' ars am bodach, 's e dol na shuidh' air a' bheing a thoirt dheth a bhrògan, 'saoilidh mise g' eil mi gur n-aithneachadh – co dha bhuineas sibh?'

"Ach freagairt cha d' fhuair e dha cheist. Cheangail an duine na barrallan, sheas e, stamp e a chasan, a' dearbhadh nam bròg a thaobh cuims' is cofhurt. Air dha sin a dhèanamh, agus a bhonaid a chur rudeigin air siobhadh, gu math spaideil, thionndaidh e air a shàil, agus 's e brag a chois a-mach an staran na bh' aig a' bhodach bhochd dheth.

"Thug e 'n oidhche sin ag ùrnaigh. Cha do dhùin a shùil ach sin. Cha robh guth air cadal.

"Ach, rud a bu neònaiche dheth, thuirt e rithist nach robh fiamh no feagal air gun tilleadh am fear ud a-chaoidh tuilleadh, agus cha do thill e sin."

Bha Tormod sàmhach. Lìon e na h-iteachanan mar a gheall e.

Thòisich Sport a' gabhail an aithreachais. "Cha bu chòir dhòmhsa bhith air a siud innse dha. Tha e ro òg. 'S ann gus feagal a' Chruitheir a chur annam a chaidh innse dhomh fhìn. Rinn mi ceàrr."

Ach, a rèir colais, cha bu mhist' am balach an sgeulachd. 'S e nach robh buileach air a dhòigh an duine a dh'innis i.

Sheall Sport ri Tormod is fhuair e coire dha. One way or another, nan deigheadh tu a ghaoth a' bhalaich sa, bha thu dualtach rud a thighinn ort nach robh dùil agad ris. "Tud, co-dhiù . . ." ars esan ris fhèin, 's thug e brag no dhà air a' chlò ùr mus deach e steach gu theatha.

Calum Iain Thormoid

Tha greis bhuaithe nis. Cha b' ann an-dè a bh' ann.

Dh'èigh Calum Iain Thormoid ri Dòmhnall Iain bho dhoras an t-sabhail. Bha daoine fhathast an sàs ann an lot, 's an sàs ann am mòine còmhla mar bhaile, 's a' freasgairt air càch-a-chèile mu àm na buana, 's a' frithealadh fhaingean, 's a' dol gu 'n eathar, 's a-mach 's a-steach à taighean a chèile, is coilich a' gairm sa mhoch-thràth, is crodh a' cnàmh an cìr' air a' ghlasaich.

Dh'èigh e ris bho dhoras an t-sabhail, agus Dòmhnall Iain na leth-bhalach a' gabhail suas an rathad. Smèid e air. "Trobhad," ars esan, "'s rud agam dha do mhàthair." Agus thill e mach às an t-sabhal le poca beag.

"Seo," ars esan. "Gheall mi Golden Wonders dha do mhàthair, 's tha dà thràth agaibh ann an sin."

Duine trom, tomadach a bh' ann na choiseachd, is pìoch is spàirn na cuinge glè thric na bhroilleach, ach an dèidh sin a bha làidir, fallain le aghaidh dhearg. Duine dìcheallach aig an robh dà lot is iomadach caora. Agus dà chù-choilearach – coin an aon mhaighstir nach toireadh sùil air duin' ach air fhèin.

Duin' aig an robh beart, a bha daingeann dhen Aonadh, a bha fada na cheann nan tigte cruaidh air, nach do phòs, a bha còmhla ri Mairead a phiuthar nach do phòs, agus aig an robh bràthair, Iain, nach do phòs a bharrachd, 's a chaith a bheath' aig muir.

Calum fhèin, ma chunnacas a-riamh e air a' chreagach, 's ann tearc, 's ma chunnacas e muigh air an eathar, 's ann ainneamh.

"Agus O, 'ille chnapaich, nach math mar a tha," ars esan an uair sin ri Dòmhnall Iain. Agus rinn e seòrsa de mhaoileasaich ghàireachdainn, 's e seolltainn ri Dòmhnall Iain air oir.

Cha robh fhios aig Dòmhnall Iain cò air a bha e mach. Cha chual' e Calum Iain Thormoid a' bruidhinn mar seo a-riamh.

"An cuala tu riamh a' bhàrdachd ud?" ars esan an uair sin.

"Cha chreid mi gun cuala," arsa Dòmhnall Iain.

"Bàrdachd a' bhuntàt'," arsa Calum Iain Thormoid.

"Cha chuala mise sin a-riamh."

"O, 'ille chnapaich, nach math mar a tha:
bho làn peile gheibh sinn poca no dhà,
's tha thu fàs dhuinn bliadhna bho bhliadhna."

"Cha chreid mi nach cuala mi uaireigin e," arsa Dòmhnall Iain.

"Bidh mi uaireannan ga chantainn rium fhìn," arsa Calum, "'s mi snaidhm clò."

"Siuthad – can e," arsa Dòmhnall.

"An ann gu lèir?"

"Seadh."

"Tha e gu math fada."

"Can e co-dhiù."

"Tha cho math dhuinn a dhol a-steach dhan t-seada-bheairt, a-rèist."

Shuidh Calum aig a' bheart. Shuidh Dòmhnall Iain thall air muin clò. Clò glas, two-by-two herring-bone.

Agus thòisich Calum Iain Thormoid air ann an sin, 's cha do stad e gus na chrìochnaich e.

"O, 'ille chnapaich, nach math mar a tha:
bho làn peile gheibh sinn poca no dhà,
's tha thu fàs dhuinn bliadhna bho bhliadhna.

Tha thu fàs dhuinn bliadhna bho bhliadhna,
's cha bhi 'm baile sa chaoidh gun bhiadh ann
agus tus' air do chùmhnadh slàn, fallain.

Agus tus' air do chùmhnadh slàn, fallain,
's nach buin an cnàmh ri do cholainn,
no a' cheò bhàn fhuar ri do bhàrr.

No a' cheò bhàn fhuar ri do bhàrr,
i na laighe mìn-gheal air a' chlàr,
's là mòr na luin air crìochnachadh.

'S là mòr na luin air crìochnachadh,
's do dhuilleach gorm air crìonadh aic'
mus dèan thu 'm bun tha èiseil.

Mus dèan thu 'm bun tha èiseil,
blasta le sgadan is blast' às eugmhais,
gad tharraing às a' ghrìosaich is gual ort.

Gad tharraing às a' ghrìosaich is gual ort,
salainn is ìm ort an uair sin,
cha do cheannaich an t-òr biadh nas fheàrr.

Cha do cheannaich an t-òr biadh nas fheàrr,
's e cheannaicheas dhuinn toradh is bàrr
ach an todhar do bhiadh 's do thuarastal.

An todhar do bhiadh 's do thuarastal,
a bheir sgiabadh air cuinnlean san fhuar-earrach,
's tu againn air do sgealbadh 's air do thaghadh.

'S tu againn air do sgealbadh 's air do thaghadh,
crann-dearg 's na h-eich chalma ga dhraghadh,
bonaid is currac a' diobadh 's a' cur.

Bonaid is currac a' diobadh 's a' cur,
is lìonmhorachd fhaoileag a' sgiathal gun sgur,
sgread nan guth a' tàrsainn na 's urrainn iad.

Sgread nan guth a' tàrsainn na 's urrainn iad,
's an treabhaich' a' leantainn gu foghainteach,
clàr taisealach ga dhubhadh sgrìob bho sgrìob.

Clàr taisealach ga dhubhadh sgrìob bho sgrìob,
mu mhac an duine tha e sgrìobht'
gun ith e aran le fallas gnùis.

Gun ith e aran le fallas gnùis,
's chan eil aon teagamh anns a' chùis:
tha 'm priogadh ri dhèanamh 's an todhaigeadh.

Tha 'm priogadh ri dhèanamh 's an todhaigeadh,
's mus fhaigh sinne bhroinn sloc is sabhal thu,
an obair-àitich as saothraich' a th' ann.

An obair-àitich as saothraich' a th' ann,
's mus tig obair a' chromain gu ceann
bidh caol-droma glè ghoirt aig gu leòr.

Bidh caol-droma glè ghoirt aig gu leòr,
's ma thig frasan uisg' gun chuireadh nar còir,
salach, sliobach cas a' chromain nar làimh.

Salach, sliobach cas a' chromain nar làimh,
O thusa tha cho dlùth rinn an dàimh,
's fhada leinne gu 'm bi thu staigh tèaraint'.

'S fhada leinne gu 'm bi thu staigh tèaraint',
ceann-còmhraidh thu, cofhurtachd is biadh dhuinn,
fada mach dha na liath-ruisgean bàna.

Fada mach dha na liath-ruisgean bàna,
's, 'ille chnapaich, nach math mar a tha sinn,
's tusa fàs dhuinn bliadhna bho bhliadhna."

"Mo chreach-s'," arsa Dòmhnall Iain, "cò rinn sin?"
"Rinn Noraidh à Adabroc. Chailleadh e anns a' chogadh."
"Athair na Tocasaid."
"Seadh. Daoine tàlantach, a bhalaich."
"Dè," arsa Dòmhnall Iain, "a th' ann an crann-dearg?"

"Tha crann a chleachd daoine bhith ceannach ann an seo uaireigin agus peanta dearg air," arsa Calum Iain Thormoid.

Latha eile, bhathas a' tarraing mhònach do chuideigin le làraidh Ailig Dan. A-muigh pìos seachad air Allt a' Mhaide.

Chaidh an lod a stèidheadh suas, 's i cho àrd 's cho brèagha 's cho binneach, agus sheas na fir a' gabhail ealla rithe mar a ghluais an làraidh a-steach an rathad.

Ghabh iad teatha an uair sin, chuir iad dhà no trì fhàdan air muin a chèile agus shuidh iad air na sorchain sin, 's a' chruach a' cumail tac rin druim.

Latha cùbhraidh, ciùin, agus fàileadh an fhraoich nan cuinnleanan, agus fàileadh ceò na mònach. Chitheadh iad a-null gu Tìr-Mòr, agus sìos gu deas bha a' mhòinteach a' tàladh an sùl.

Druim Hallagro.

Filiscleitear.

Bha dùil, aig an àm, gu leanadh na lathaichean ud a-chaoidh: a' cur air tìr le bara – saothair mhòr – 's ga tarraing le làraidh.

Thòisicheadh a' tarraing à Calum Iain Thormoid. Cha robh seo a' mì-chòrdadh ris. Sheasadh e e fhèin glè mhath.

"Siuthad, ma-tha, can e," arsa Murchadh Ruadh: "intercontinental ballistic missile."

"Cha chan."

"Cha chan, chan urra dhut."

"'S urrainn."

"Chan urrainn, neo chanadh tu e."

"'S urrainn."

Tha greis mhath bhon uair ud. Mus do thilgeadh Yuri Gagarin suas dhan iarmailt, 's mus do chuir duine cas air uachdar na gealaich.

Greiseag ron a seo thàinig *The Cruel Sea* a Steòrnabhagh, film dha robhas a' saoilsinn tòrr. Chaidh cuid dhe na fir a-null còmhla ga fhaicinn. Bha Murchadh Ruadh a' tilgeil air Calum Iain Thormoid gum b' fheudar dha èirigh a-mach às le cur na mara.

Shuidh iad ris a' chruaich co-dhiù, agus thuirt Calum ri Dòmhnall Iain air a shocair, "'Eil thu dèanamh saidheans?"

"Tha."

"Tha . . . tha clach againn ann an siud san iodhlainn, 's bha mi . . . bha mi lùigeachdainn bho chionn fhada gun toirte sùil oirre."

"Dè an seòrsa claich?" arsa Dòmhnall Iain.

"Thig fhèin a-nuas is chì thu."

Chaidh e sìos air feasgar Disathairn' 's e aig an taigh às an sgoil. Chluinneadh e beart Chaluim a' bragail le a brag slaodach fhèin. 'S e Murchadh Ruadh a dh'innis do dhaoine dè 'm fonn a bh'aic', agus dhen turas sa bha e cho ceart 's a ghabhadh: *December the second, December the second, December the second.*

Stad a' bheart. Dheàlraich aodann. "Hello, Dhòmhnaill. Dè do chor? Dè mar tha h-uile duine?" Rug e air làimh air.

San iodhlainn lorg Calum an dòrnag a bha seo. Cha robh iodhlann, cha robh sabhal, cha robh lot, cha robh taigh-beairt, cha robh taigh-geal le uinneagan àrda nach robh air an cumail snog, sgiobalt aig Calum Iain Thormoid. 'S e fhèin cho speiseant, fiù 's na aodach-obrach.

Belt leathair glè thric air taobh a-muigh nan dungarees. Belt, nach robh a' dol tro dhul ach a bha leantainn a chùrsa fhèin sìos mu mhionach, agus bucall làidir buidhe ga cheangal is ga theum. Chumadh an duine saoghalt sa a' dol fad an latha: chuireadh e tòrr às a dhèidh.

Dà fhichead caora. Crodh. Dà lot. Choinnicheadh tu e air an rathad, 's e dol eadar an dà lot. Beathach caorach aig' air feist, na coin chiallach air a shàil, agus an aon pìoch air a bhroilleach.

"Cha chumar taigh le beul dùint'," tha an seanfhacal ag ràdh, ach ainneamh a thigeadh facal eadar e fhèin is Màiread a phiuthar. Bha esan a' riaghladh a-muigh, agus is' a' riaghladh a-staigh. Ach gum biodh esan mì-fhoighidneach, crosanach a-mach dhan fhoghar.

Fhuair e a' chlach co-dhiù, an cùl na h-iodhlainn, is dh'fhalbh iad leatha a-steach dhan t-seada. Dòrnag a bha cnapach agus a bha gu math trom.

Bha i annasach, ceart gu leòr. Bha aon taobh dhith rèidh agus lainnir às. Chitheadh tu caochladh dhath innte, donn is dubh is beagan dearg is gorm.

"Bhiodh m' athair uaireannan a' cumail a-mach gur e clach-adhair a bh' innt'." Clach shònraicht' a bh' innt' co-dhiù, nach deach a chleachdadh a-riamh ann an gàrradh. Cha deach a cur am measg nan acraichean aon seach aon air taigh-dubh no air sabhal. Cha do rug duine riamh oirre gus cur na dòrnaig. Bha i riamh ann an siud san iodhlainn leatha fhèin. Thugadh àite dhi.

"Tha cho math dhut a toirt leat," arsa Calum Iain Thormoid.

Thug Dòmhnall Iain leis i air a' bhus, am broinn a cheas, còmhla ris na pidseàmas. Chaidh e leis a' chlaich chon a' bhoir-eannaich a bh' aige son chemistry, sean nighean a bhiodh a-mach air a h-athair an teis-meadhan hydrocarbons, normal solutions agus atomic weights. Chemist a bh' air a bhith annsan cuideachd.

Chuir i car dhen a' chlaich air a' bhòrd agus dh'aom i a ceann. "I'll send it away to the University of Edinburgh."

Chaidh na mìosan seachad, 's cha robh guth a' brath air a thighinn. Chaidh an geamhradh na earrach. Smèid i air a' mhadainn a bha seo, 's an clas a' sgaoileadh.

Ars ise, 's i dol dearg air beulaibh a' bhalaich, a bha diùid, balbh air a beulaibh fhèin, "That kind of rock is called 'gabbro', I'm reliably informed. And in all likelihood it was carried by glaciers from Scandinavia or Greenland during the last Ice Age."

"Thank you," ars esan.

"Thank you for coming to me," ars ise. "Thank you very much," ars ise, 's i ri tionndadh air falbh.

Cho fad 's as aithne do dhuine, sin far a bheil dòrnag Chalum Iain Thormoid gus an là an-diugh. Air cùl glainne anns an dearbh oilthigh far na dh'fhaillich air Dòmhnall Iain fhèin M.A. a chosnadh nuair a bha e beagan na bu shine. Air cùl glainne ann an ceas air a bheil sgrìobht' 'Gabbro: Igneous. Glacier detritus. Ice Age. North Lewis.'

Thadhail e staigh an taigh-beart Chaluim agus lìbhrig e 'n naidheachd dha.

"'S dè shaoil iad dhith?" ars an duine sin a bha fritheilteach san eaglais ach nach do chomanaich.

"Shaoil gu robh i gu math annasach dha-rìribh."

"Shaoil?"

"Shaoil."

"'S tha iad a' cumail a-mach gur h-ann à Tìr Lochlainn a thàinig i?"

"Tha."

Cha tàinig e steach air Dòmhnall Iain aig an àm gum bu chòir dhaibh a bhith air a' chlach a thilleadh.

Cha tuirt am fear leis an robh i dad mu dheidhinn. 'S dòch' gu robh e dòigheil a' smaoineachadh oirr' ann an Dùn Èideann, far am faict' i. Ach bidh Dòmhnall Iain ga caoidh, 's a' caoidh nach d' fhuair iad air ais i.

"Nach mise bha slac," bidh e cantainn ris fhèin.

Bidh e a' dèanamh dealbh oirr' a' lasradh 's a' losgadh a h-astar a-steach roimhp' bhon àird an ear, 's an t-adhar dubh dorch agus làn rionnagan. A' losgadh a slighe sìos roimhp', 's i na caoir theine, dearg is gorm is uaine, is earball aist', 's a h-uile duine nan cadal, am meadhan na h-ochdamh linn deug.

I toirt clab mòr ann am mullach seann tobht air cùl taigh-dubh, agus cuairteagan ceothaidh ag èirigh far na loisg i a' ghlasach.

Dà rud thug Calum Iain Thormoid do Dhòmhnall Iain. Pìos bàrdachd agus clach.

"Faire, faire," bidh e cantainn ris fhèin 's e gabhail seachad air lotaichean Chaluim, 's gach tè aca bàn. 'S an iodhlann air tuiteam. 'S an t-seada-beairt dùint'.

"Faire, faire, a Chalum Iain Thormoid, chan e 'n aon baile th' ann dhòmhsa."

Cock of the Walk

Bha e nàdarrach gum biodh feadhainn a' tighinn a dh'fheuchainn ann an Tormod. Feadhainn à sgìre Nis fhèin agus feadhainn à badan eile dhen eilean.

Bha sin an dàn dha. Bha ainm 's a chliù air a dhol fad' is farsaing mus robh e ach glè òg. Nochd balach aig sean sgoil Lìonail an latha bha seo às dèidh na diathad, 's a' chlann a-muigh a' cluich. Agus cò bha seo ach am Pluicean. Murdaigean Dhoilidh Dhòmhnaill à ceann shuas na sgìre.

Nis, ma bha duine air a' cheann shuas na bu treise na Doilidh Dhòmhnaill, chan aithne dhuinn e. 'S ma bha balach air a' cheann shuas na bu treise na Murdaigean Dhoilidh Dhòmhnaill, tha mis' air mo mhòr-mhealladh.

Nach robh Doilidh Dhòmhnaill na bhogsair san Arm. "'S iomadh balach tapaidh a sheas air mo bheulaibh-s'," ars an doctair ris, nuair a fhuair e call-up, "'s chan fhaca mi duine cho dèante riut." Dh'fhaighnich e de Dhoilidh am biodh e togail rudan 's ga dhèanamh fhèin làidir.

"Tha mi eòlach air obair bhom òige," arsa Doilidh Dhòmhnaill ris. "Chleachd sinn a bhith cur na dòrnaig, 's bha sinn a' streap anns na creagan."

Bhoill, bhiodh Doilidh Dhòmhnaill fhèin air cluinntinn gu leòr is cus mu dheidhinn na Tocasaid, 's tha mi creids' gun tuirt e ris fhèin, "Tiud! Muinntir 'Ain Tuirc! 'S iongantach gu seasadh e plug ri Murdaigean againne."

Cha b' annas an uair ud daoine bhith staigeadh dà chù mhath na chèile, ach am faicte cò b' fheàrr. Neo dà rùda, ach an dearbht' a' chùis.

Sheas Murdaigean 's a ghualainn ri gàrradh-claich na sgoile, 's thug e greis mhòr a' seanchas ri na balaich. Balach brèagh' a bh' ann, mu dhusan bliadhna dh'aois. Ceàrnag thapaidh de bhalach, le gruaidhean dearg is sùilean gorm. Na bhodhaig gu lèir bha e eireachdail, calma, stampail.

Nis, bha cuid de bhalaich Thàboist a dh'aithnicheadh e, ach cha robh 'n còrr ac' air fhaicinn a-riamh. Bha dithis no triùir dhe na balaich sin na b' àirde na e, ach cha robh sin a' cunntadh mòran. Bha rudeigin cruaidh na aodann, timcheall a' bheòil, agus bha na balaich gu nàdarrach ag iarraidh a thoileachadh. Air a leithid sin bha e cleachdt'. Le aon buille dhe shùil dh'aithnicheadh e an robh duine ann a sheasadh ris, agus ma bha, dè 'n dòigh a ghabhadh iad an ceannsachadh.

Leigeadh e dha na balaich ùmhlachd a dhèanamh dha, rudan innse dha, agus gheibheadh iad an duais mar a chitheadh esan iomchaidh.

Fiamh gàire beag teann, 's dòcha. Boillsgeadh beag de ghreadh-nachas. Bha brod na bathais air, co-dhiù, nuair a ghabh e air a thighinn sìos tro na bailtean air latha sgoile, agus seasamh aig sean sgoil Lìonail a' faighneachd cheistean. Ma chual' e riamh an seanfhacal 'A h-uile cù air a' chù choimheach', leig e mach air a' chluais eil' e. Chunnaic Dòmhnall Iain e, a bha rithist ag obair aig North Star Providential, 's thug e 'n aire sa bhad cho cruaidh 's a bha e, 's cho cunnartach. Bha dìoghaltas a-staigh an leagas a' Phluicein.

Am fear a b' òige de bhalaich na Cràic, a bha 'n ìre mhath

ceannairceach, bha e umhail dha. Thuig e. Thàinig triùir dhen a' chlann-nighean faisg, a' falbh air gàirdeanan a chèile, is sheall iad ris. Cha do leig am Pluicean air gu robh iad ann. Co-dhiù, uair dhe na h-uairean, dh'fhaighnich e càit an robh Tormod Noraidh.

"Cha bhi e 'n seo uair sam bith," arsa fear dhe na balaich. "'S dòch' g' eil e staigh còmhla ris a' mha'-sgoile." Bha sin leth-mhìle staigh an rathad, faisg air na Còig Peighinnean.

"Faca sibh e gabhail a-steach?" ars am Pluicean.

"Chan fhac'. Chan fhaca sinn e bho chionn ùineachan."

Fhuair e mach an uair sin gum biodh Tormod na mìosan mòra gun a thighinn dhan sgoil. Gum biodh e uaireannan na shuidhe leis fhèin ann an oifis a' mha'-sgoile, 's gum biodh e uaireannan eile a' faighinn leasanan ann an Sgiogarstaidh bho Ailig John an Rudain.

Nothing daunted, chùm e air a-steach.

Bha balaich mhòra à Suaineabost, 's à Cros, 's às na Dailean, a-staigh anns an sgoil sin – bha agus à Gabhsann. 'S chaidh e nan còmhradh, 's beag a chuir sin air – bha feadhainn ac' a bha eòlach air, 's fhuair e fàilt' is furan.

"A mhic na bids, dè tha thu dèanamh shìos an seo?" thuirt Ailean a' Chodaidh ris, a bha fuireach ri thaobh.

Co-dhiù, cha robh 'n droch nearbh ann a thighinn sìos tro na bailtean, far nach robh e idir eòlach. Tha 'n t-uabhas bhailtean air a' cheann shìos, eadar Eòrapaidh 's na Còig Peighinnean, 's an Cnoc Àrd, 's am Port, is Lìonal is Adabroc is Eòradal is Sgiogarstaidh. 'S cha bu bheag na bha sin de dhaoine, gun iomradh a thoirt air cùl na sgìre. Far an robh taigh na Tocasaid. Cha robh mòran aig a' Phluicean airson a thurais. Cha robh sgeul air Tormod. A h-uile turas a chitheadh e Tormod shuas aig an stòr, ann an Cros, cha robh e faighinn teans air. Bhiodh e lodaigeadh na làraidh, còmhla ri Coinneach mùdach, dùdach na beag moit.

Bha Tormod, a rèir cholais, an còmhnaidh an sàs ann an rud-eigin, no còmhla ri cuideigin.

Phriob Tormod air san dol seachad, latha fuar fiadhaich, le gluasad beag clisg dhe cheann, rud a bha riamh cumant'. Ach 's e a chuir air a' Phluicean gun leum Tormod gu cùl cuibhle na làraidh 's gun tug e steach i na b' fhaisg' air dorsan an stòir. 'S am Pluicean fhèin air a' bhaidhc, 's e air a thighinn mun cuairt air a' mhorghan, 's air sgapadh a dhèanamh leis a' chuibhle-deiridh.

Sheall e na shùil nuair a chrom an Tocasaid. Mhothaich e dha fhèin a' dol dearg. Bha e mothaichteil air fhèin air a' bhaidhsagal, agus aodann air a dhol dearg.

Agus Tormod air a ghabhail a-steach gu sìmplidh.

Chual' e gum facas Tormod leis an làraidh, agus Coinneach ri thaobh, a' dol tro mhòinteach Bharabhais. 'S ann mun àm sa a bha Fun-Fair air machair Lìonail, faisg air an Tràigh Bhàn. Rud nach do thachair a-riamh roimhe neo às a dhèidh.

Cha robh balach no braisich nach deach ann. Thàinig muinntir an Taoibh Siar ann nan ceudan. Chruinnich sluagh ann latha 'n dèidh latha. Fhuair balaich a' chinn shìos sealladh air balaich Dhail bho Dheas – *terra incognita*. Cha robh fhios ac' co leis a bha iad, no dè chante riutha, ach gu robh iad eadar-dhealaicht' nan còmhradh.

Nise, bha Freddie a' Fun-Fair air clas Dhòmhnaill Iain. Bha Freddie làidir, agus làn spionnaidh. Cha robh 'm Pluicean air faighinn gu Tocasaid 'Ain Tuirc, ach fhuair e gu Freddie. 'S math an cudaig nuair nach tig an saoithean.

Choinnich iad. Chaidh iad ceàrr air a chèile, 's cha robh sin fada.

Ach mus do sheall e ris fhèin bha Murdaigean Dhoilidh air a dhruim air a' mhachair chruaidh thioram agus glùinean Freddie air a bhroilleach. Dh'fhèin-fhiosraich am Pluicean tàmailt is laigs' is feagal is tachdadh is nàire is cachdan is bròn is braon-fallais is deòir theth na h-ainmein, 's e glaist airson a' chiad uair na bheath', agus sin aig balgaire de Ghall.

Nuair a smaoinich e air athair, a chuir iomadach Sasannach fuar fo laige leis an làimh chlì, gun luaidh air an làimh dheis, bha a chridhe gu briseadh. Chunnaic e athair a' tionndadh air falbh, 's a mhac air a mhaslachadh. Bha Freddie a cheart cho làidir ris fhèin, 's a thuilleadh 's a bharrachd air a sin bha e eòlach, eòlach air bogsaigeadh 's air car-gleac.

Thug Freddie a' ghrian 's an t-adhar bhuaithe, 's a bhonn 's a mhisneachd. Chuir e mach smugaid nuair a leig Freddie dha èirigh, 's bha fuil innte. Bha Freddie air ditheadh air amhaich.

An ath shùil dhan tug e, cò chunnaic e tighinn faisg ach Tocasaid 'Ain Tuirc, agus duine còmhla ris nach robh e 'g aith-neachadh. Bha glainneachan air an duine s' a bha cho tiugh ri bonn sileagain.

"Dè tha ceàrr ort?" arsa Tormod ris, gu fialaidh.

"Chan eil càil," arsa Murdaigean Dhoilidh Dhòmhnaill.

"Tha 'n fhuil riut, 'ille," arsa Tormod.

"An e tuiteam a rinn thu?" dh'fhaighnich Ailig John an Rudain. Oir b' e seo fear na cion-lèirse.

"Cò leis thu?" dh'fhaighnich mac an Rudain.

"Tha le Doilidh Dhòmhnaill."

"O, aidh – tha thu rèist a' dol a sgoil Chrois."

"Tha," ars am Pluicean.

An ath rud a thachair, 's e gun deach Freddie seachad orra, agus aitheamh no dhà de ròp aige na chuibhleachan air a ghàirdean. Agus anns an dol seachad, nach ann a bhrùth e seachad air Tormod.

"Watch it," arsa Tormod.

"Watch what?" arsa Freddie.

"Look where you're going," arsa balach Adabroc air a shocair, "and go where you're looking." Agus bha e dol ga fhàgail aig a sin.

"Very funny," arsa Freddie.

"Only mildly amusing," ars Ailig John an Rudain, a bh' air a speuclairean a thoirt dheth, 's a bha gan glanadh le tè de phòcaidean a bhriogais, a bha e air a tharraing a-mach for that very purpose. Bha e cho dall ri mòil gus an d' fhuair e air a-rithist iad, na sheasamh am meadhan gleadhraich a' Fun-Fair, a' priobadh a shùilean bochd', lag', a bha rudeigin pinc. Agus na h-einnseanan bugaideil, brùideil a' brunndail 's a' togail an guth, 's iad a' cumail na cùis a' dol 's na solais dhathach thuige.

Dè thachair an uair sin ach gun leig Freddie an ròp gu talamh, agus rinn e air beatha Thormoid.

Cha mhòr gun creideadh am Pluicean an rud a ghabh àit'.

Ruith Tormod air ais an comhair a chùil.

Ruith e 'n uair sin air adhart, leum e 's chuir e car a' mhuiltein mus tàinig a chasan gu talamh. Chuir e car mar chuibhle-cairt, agus leum e feir a làmhan glan seachad air Freddie. An ath shùil dhan tug am Pluicean, bha Freddie aige ceangailt', leis an ròp aige fhèin, ceangailt' ri tè de theantaichean mòra, garbha canabhais athar.

Cheangail Tormod e le snaimeannan nach gèilleadh.

Agus an ceangal a rinn e air, tha ainm air. 'S e sin 'ceangal nan trì chaoil'.

Dh'fhàg iad e na shuidhe ann an siud, 's gun aon facal a' tighinn às a cheann. Dh'fhalbh an triùir Niseach, 's dh'èalaidh iad a-null ach am faiceadh iad dè bha dol. Stad iad far an robhas a' caitheamh bhàllaichean aotrom air sreath de chanastairean falamh. Against all expectations, bhuannaich am Pluicean coconut.

Seo an fhionnaraidh a choisinn Seonaidh Beag a' Chnuic Àird half tea-set ag amaiseadh air targaid le gunna.

Na Brògan Donna

'S iomadh sgeulachd a dh'innis a sheanmhair dhan Tocasaid, 's iomadh seanchas a chual' e aice nach cual' e aig duine riamh ach aice fhèin. Seanchasan a bh' air an deagh lìbhrigeadh, a h-uile tè 's a toiseach a' cuimseachadh air a deireadh, agus i cho beòthail mu meadhan 's a lùigeadh tu, 's cho brìoghmhor ri cnò challtainn.

An seòrsa boireannaich a bh' innt', cha robh i taobhadh cus ri eaglais, 's cha robh aon feagal aice ro mhinistear, 's ma bha feagal aice ro ifrinn phàiteach na dòrainn, cha chualas gu robh neo nach robh, taobh seach taobh.

"Dè thachair an uair sin?" chanadh Tormod ri sheanmhair ann am meadhan na h-aithris, nuair a thigeadh abhsadh.

"Mo chreach-s', a bhròinein, dè 'm math dhut a bhith faigh-neachd dhìoms'."

Agus chumadh bean Iain Tuirc oirre leis an sgeulachd, a guth a' dol na bu cheòlmhora na b' àbhaist agus a corp na h-uiread air thurraban.

Bha prionns' ann an siud uaireigin air an robh Sgeilbheag mar ainm, agus dè thachair an latha s' ach gun d' fhuair e paidhir bhròg ùr – bròganna donna nach robh a' tighinn mòran suas mu chaol a chois. À oir a shùil, aon latha, dè chunnaic e ach na bròganna donna a' danns leotha fhèin. Nuair a sheall e, bha iad air sgur. Ach bha e cuideachd air an cluinntinn le brag a' danns air an ùrlar, agus ars esan riutha, "Siuthadaibh, dannsaibh."

"O, cha danns sinne dhut mura togair sinn fhìn," arsa na brògan.

"Cha chuala mis' a-riamh brògan a' còmhradh," ars an Sgeilbheag, "gus an là an-diugh."

"Ach thug thu fa-near gu bheil teanganan annainn?" arsa na brògan.

"Bhoill . . . thug . . ." ars am prionnsa.

"Chan eil fhios fhathast am freagair sinn fhìn 's tu fhèin a chèile," arsa na brògan donna, agus choisich iad timcheall air agus stad iad air a bheulaibh.

"Tha sibh ga mo fhreagairt-sa cho math ri math," ars an Sgeilbheag.

"So far, so good," arsa na brògan.

"Tiugainn a-steach gu m' athair," ars an Sgeilbheag, "ach an seall mise dha na brògan mìorbhaileach a th' agamsa."

"Theirig a-steach gu d' athair mas e sin do thoil, ach chan fhaic e sinne a' danns a-chaoidh. 'S cha ruith 's cha leum sinn ach mar a thoilicheas sinn fhìn."

"Carson?"

"Airson siud fhèin."

"Tà," ars an Sgeilbheag, "'s e th' annams' ach prionns' – chan eil aig m' athair ach mi fhìn – agus mas e sin mo thoil, sadaidh mi às sibh. Gheibh mi brògan eile, 's cha bhi sin fada – brògan mòra, brògan àrda, brògan dubha, brògan tacaideach, brògan gun thacaidean."

"Dèan do thoil," arsa na brògan, agus chaidh iad balbh sàmhach. Cha do ghluais iad 's cha do charaich.

Thòisich an Sgeilbheag ag èigheach 's a' glaodhaich, 's mu dheireadh shad e na brògan donna mun a' bhalla leis an droch nàdar, bho nach robh iad ga fhreagairt, ach aon phioc feum cha do rinn sin dha ach call, oir cha do bheothaich na brògan fad trì latha is oidhch'.

Dheigheadh e thuc' is chanadh e, "Siuthadaibh, bruidhnibh; siuthadaibh, gluaisibh; siuthadaibh, freagraibh."

Las corraich mu dheireadh ann an cridhe a' phrionnsa, agus dh'fhalbh e le na brògan, a' dol gan sadadh a mhullach an teine. Shad e a mhullach an tein' iad ann an sin, ghabh e 'n grad-aithreachas agus tharraing e mach iad chun na cagailt leis a' clobha 's na sradagan a-mach mu bhus.

"O, sad gu deas sinn is sad gu tuath sinn, ach cha dèan sinne toil duine ach ar toil fhìn," arsa na brògan donna às a' ghuth-shàmh. "Mill sinn no meal sinn, ach cha ghabh sinne do chomhairle aon uair. Sgar sinn is cuir ceud car dhinn, ach cha ghèill sinn dhut fhèin no dhan an rìgh. 'S ged a dh'èigheadh tu àird do chinn, 's ged a rànadh tu 'm baile, 's ged a leigeadh tu fead a dhùisgeadh Mac-Talla a tha na chadal sa chreig, agus ged a dhèanadh tu bantrach dhinn dà thuras dùbailt, cha tèid sinne aon ceum far ar slighe dhut."

Nuair a chual' an Sgeilbheag na geallaidhean 's na rabhaidh-ean, O, a ghràidh ort, dh'aithnich e . . . O, dh'aithnich e nach robh math dha . . . agus bhuail an sgìths e agus shuidh e sìos air an làr ann an sin far an robh e, agus cha robh dùrd aige.

"Tha dùil againne togail oirnn a-mach à seo an t-seachdain sa tighinn," arsa na brògan donna, "agus bu mhath leinn nan tigeadh tu nar cois."

"Bha dùil agam gur h-ann leams' a bha sibh," ars am prionnsa.

"'S ann, 's chan ann," ars iadsan.

"Chan eil mòran miann agamsa a dhol à seo," ars am balach, "agus co-dhiù, cha leigeadh m' athair sin dhomh."

"O, bhoill . . ." arsa na brògan ris.

"Agus bhriseadh e cridhe mo mhàthar."

"Chan eil teagamh," ars iadsan, agus an ceann greis dh'fhalbh iad leotha fhèin. Choisich iad a-mach tro gheata mòr a' chaisteil agus an Sgeilbheag na throtan às an dèidh.

O, cha robh an Sgeilbheag airson falbh idir. Nach robh a h-uile càil aige ann an siud fhèin far an robh e: eich air an uidheamachadh le òr is airgead, spòrs is fealla-dhà am measg na h-òigridh agus daoine ionnsaicht' a bha athair air a lorg dha bhom faigheadh e deagh fhoghlam.

Ach a-nis, nuair a shealladh e gu deas, bha e airson falbh mar a bha na h-eòin, agus tilleadh nuair bu mhithich.

"Cha tèid, do chas," ars an rìgh, nuair a dh'fhiosraich e rùn a chridhe. "Agus ma thèid thu air turas goirid, bheir thu leat saighdear no dhà a chuireas dìon ort 's a bheir sàbhailt dhachaigh thu."

"Cha fhreagradh sin," ars am prionnsa, 's e ri cuimhneachadh air na brògan donna, nach ceadaicheadh do dhuine ach dhàsan faighinn cus a-steach orra.

"Tà, bheir thu leat an t-each."

"Cha fhreagradh sin," ars am prionnsa. "Falbhaidh mi leam fhìn agus tillidh mi bliadhna bhon earar, 's chan eil math dhut mo bhacadh – tha mi dol a dh'fhalbh a dheòin no dh'aindeoin." Thug e dheth an cearcall caol òir a bhiodh uaireannan mu cheann.

"Mas ann mar sin a tha," ars an rìgh, "tha m' uile bheannachd agad. Bidh tu nam ùrnaigh-sa gus an till thu." Chuir an rìgh trì buinn òir na bhois, agus dh'fhàg an Sgeilbheag an caisteal air chùl.

Cha robh iad glè fhada air an t-slighe nuair a chunnaic iad am fear a bha seo a' tighinn na dheann-ruith far an robh iad.

"Dè 'n t-ainm a th' ort?" ars an Sgeilbheag ris.

"Tha," ars an duine, "Cho Luath ris a' Ghaoith, 's chan e fuireachd ach falbh a dh'fheumas mi."

"Tha mi creids' nach eil mòran feum dhòmhs' a dhol a dh'fheuchainn annad, ach tha mise mi fhìn glè mhath air ruith," ars an Sgeilbheag.

"Cuiridh sinn dà char dheug air fhichead mun bheinn ud thall agus tillidh sinn ann an seo," ars am fear eile.

"Siuthad a-nis, a bhalaich," arsa na brògan donna, a bh' aige ann am broinn poc air a dhruim, "cuir dhìot na rudan gun fheum sin leis na bucaill òir."

'S chuir am prionns air na brògan donna.

"Mach leinn, ma-tha," arsa Cho Luath ris a' Ghaoith, agus a-mach leotha. Bha an Sgeilbheag a' cumail air a chùlaibh fad an t-siubhail. Bha neart na chasan a bha mìorbhaileach. Ach a h-uile turas a ghearradh e ron fhear eile, bha Cho Luath ris a' Ghaoith a' dol na bu luaithe buileach.

"O, 's math an anail a th' annad," ars esan ris an Sgeilbheag, "agus nì thu feum fhathast." Bhoill, phiobraich sin am prionnsa agus rinn e roimhe man geàrr, ach rinn am fear eile roimhesan man cù glas seilge. Chuir iad dà char dheug mun bheinn 's iad gualainn ri gualainn.

"'S math an dà sgamhan a th' annad," arsa Cho Luath ris a' Ghaoith, "agus cò aig' tha fhios latheigin nach dèan thu feum."

Ghon seo an Sgeilbheag agus gheàrr e a shlighe roimhe mar

chù seang seilge, ach rinn am fear eile roimhe mar eun air iteig.

"Bha mise riamh cho luath ri luath," arsa Cho Luath ris a' Ghaoith, "agus 's dìomhain dhut leantainn ort."

Ach bha na brògan donna mu chasan na Sgeilbheig, 's bha spionnadh na dhà chalp' a bha annasach fhèin.

"Cha robh do dhà shamhail an seo bho bha Caoilte na Fèinne," arsa Cho Luath ris a' Ghaoith ris, 's iad air a' bheinn a chuartachadh aon fichead uair.

"Bha mise riamh cho luath ri na luin," ars esan, "'s tha cho math dhut stad."

'S ged a bha an Sgeilbheag cho luath ri sparaig mu ghualainn is mu bhuilg na beinne, bha am fear eile mar sheabhag às a dhèidh 's os a chionn is roimhe mar a thogradh e fhèin. Dh'fheuch an Sgeilbheag na bha na chorp, gus an robh pian na bhroilleach is gath na thaobh is snaidhm cruaidh a' ceangal a mhoilean ri chèile. Ach air a' cheann thall, brògan donna ann neo às, bha Cho Luath ris a' Ghaoith na sheasamh ga fheitheamh, is gàir' air aodann. Leig an Sgeilbheag dha fhèin tuiteam gu talamh, is anail na uchd, 's mus robh math a' chòmhraidh ann a-rithist, bha am fear eile air falbh mar a thàinig e, 's cha robh 'n còrr aige dheth.

Thug an Sgeilbheag ùine na laighe mar eun air a leòn.

"O, cha deach leam idir," ars esan an uair sin, "chan eil mòran feum annam, 's cha robh a-riamh."

"O, tà, b' e bh' agad an siud ach Cho Luath ris a' Ghaoith," arsa na brògan donna, "agus chan eil duine air uachdar na talmhainn a nì a' chùis air, ged a chuireadh e mach a ghoile, agus adha còmhla ris. 'S ann a rinn thu glè mhath."

"O, cha do rinn," ars an Sgeilbheag, 's e na laighe na chlod.

"O, rinn gu dearbh," arsa na brògan.

"Cha do rinn *mi*," ars an Sgeilbheag, 's thug iad greis a' dearbhadh mar sin gus na dh'fhàs iad sgìth dheth.

"Fòghnaidh siud an-diugh," arsa na brògan donna ris.

"O, bhoill," ars an Sgeilbheag, "'s mi fhìn tha toilicht' sin a chluinntinn."

Cha robh iad glè fhad' air an t-slighe an làrna-mhàireach nuair a chunnaic iad cailleach chrotach a' tighinn nan coinneamh.

"Nis," arsa na brògan a bha mu chasan, "eadar gu bheil thu gad fhaighinn fhèin fann neo fearail, mol an latha dhi agus can seo: 'Nach ann ann a tha 'n latha, a bhoireannaich chòir.'"

'S e a bha seo ach a' Chailleach Chrìon.

Mar a bha iad a' dlùthachadh oirre, chitheadh an Sgeilbheag gu robh 'n t-aodach aic' na ragaichean 's na riobagan, 's gu robh 'n fheòil fhèin a' tuiteam bho na cnàmhan aice na chluigeanan 's na chnapan. Cha robh ach fiacail no dhà na ceann. Chuir e iongantas air a' phrionnsa gu robh a ceum cho cinnteach. Bha i ga chaol-choimhead. Cha do leag i sùil dheth. Bha greann air a h-aodann. Thàinig crith na dhà iosgaid, bha buille a chridhe ag innse dha gu robh e 'n cunnart a bheath'.

"Lean ort," arsa na brògan ris. "Na fanntaig 's na fannaich 's na flagaich do cheum."

Ghairisich am prionnsa. Bha feagal air gun tuiteadh e às a sheasamh.

"Ma thuiteas tu," arsa na brògan ris, "marbhaidh i thu le biodag mheirgeach a th' aice a-staigh fo a cleòc."

"O, nach mise bh' air fuireach far an robh mi," ars an Sgeilbheag.

"Tha e cho math dhut dìreach craiceann a' bhuinn a chur air

a' bhathais ann an seo, a bhalaich," arsa na brògan ris, "agus an latha a mholadh dhi mar a dh'àithn sinn dhut."

Sheall am prionns' a-steach na h-aodann san dol seachad, agus chaidh aig' air na facail a chantainn a bha diùltadh a thighinn gu bun a shlugain. "Nach ann ann a tha 'n latha, a bhoireannaich chòir," ars esan rithe.

Nuair a fhuair e seachad oirr' 's a thionndaidh e 's a sheall e às a dèidh, nach ann a bheothaich sradag bheag de bhlàths na chridhe dhi, doicheallach, dochannach, daobhaidh 's mar a bha a dreach.

"Dh'fhaodainn tabhachd oirr' an aon rud luachmhor a th' agam," ars esan ris fhèin, 's e a' sporghail sa phoca gus an do lorg e na trì buinn òir. "Gar am biodh ann ach gun ceann-aicheadh e dhi biadh is deoch agus aodach is brògan is bat'."

"Seadh," arsa na brògan, "agus aitheamh no dhà de dh'anart ùr a thèid fhilleadh uimp', agus leòb de thalamh coisrigte far an càirear fon ùir i."

"Nach stad sibh," ars an Sgeilbheag, "agus rud agam dhuibh."

Thionndaidh a' Chailleach Chrìon agus sheas i ann am meadhan rathad an rìgh.

"O," ars ise, "mo bheannachd aig a' bhalach nach deach ceum far a shlighe bhuam, mo ghràdh air a' mhullach a lorg gràdh na chridhe dhomh." Air na buinn òir cha tug i sùil. Ach spìon i biodag dheàlrach a-mach às a cleòc agus chàir i sin ann an làimh na Sgeilbheig. Gun fhacal ach sin, chùm i oirr' gus an robh i cho beag ri cuileag, 's cha robh 'n còrr aige dhith.

"Cha dìochuimhnich mis' na rinn sibh dhomh," ars am balach ri na brògan.

"Fòghnaidh siud an-diugh," arsa na brògan donna ris.

"O, bhoill," ars an Sgeilbheag, "'s mi fhìn a tha toilicht' sin a chluinntinn."

"Dè thachair an dèidh sin?" arsa Tormod Noraidh ri sheanmhair.

"O, bhoill," ars a sheanmhair, "tha thu faighneachd dhìoms'."

Sgioblaich i na bioran-fuilt na ceann, chuir i 'n cròchan às a h-amhaich le casd, agus chùm i oirre.

Bha an rathad a' dol na bu chaoile, 's thàinig an Sgeilbheag gu pìos de choille. Chunnaic e duine aotrom a' leum 's a' danns 's a' seinn leis fhèin am measg nan craobhan. Bha e rudeigin robach 's bha cruit bheag bhrist' aige fo achlais, agus cò bha seo ach Leumachan nan Leum a' mire ri fhaileas.

"Dè chanas iad riut?" ars an Sgeilbheag.

"Is mise Leumachan nan Leum,
mo chruit nam chois a h-uile ceum,
Leumachan nam brèid 's nan toll
a bhios a' coiseachd tron a' pholl;
às aonais mo chruit cha dèan mi ceum,
cha dèan mi ceum 's cha dèan mi feum:
mise Leumachan nan Leum,
nam piollag 's nan ciollag
's nan luinneag samhraidh.

"Leumachan nan Leum," ars an duine, 's e ri falbh an taobh ud 's an taobh ud eile, "nan iollag 's nam piollag 's nam brèid . . . Leumachan uiseagach cuiseagach breac a' mhuiltein samhraidh . . . agus ma bha duine ann a leumadh na b' fhaide is na b' àirde na mise, cha tàinig e riamh an taobh s'."

"Bhoill," ars am prionnsa, "chleachd iad a bhith 'g ràdh riumsa gu robh mi fhìn math air leum. Ach 's iongantach g' eil math dhomh a dhol a dh'fheuchainn na do leithid-sa."

"O, tà, 's i seo a' cheist," arsa Leumachan. "A bheil mo leithid ann? Cha b' e ruith ach leum leamsa riamh," ars esan, "agus ma ghabhas tu orm, mo mhionnan gu sgailc mi mo chruit mu stoc craoibhe, 's nach seinn mi ach na sheinn."

"Cha bu mhath leam gun dèanadh tu sin," ars an Sgeilbheag, "ach cha tig às dhomh gun feuchainn annad agus sinn air turchairt air a chèile mar seo."

"Thu fhèin 's do bhrògan donna," arsa Leumachan, air nach robh bròg no eile, "'s beag a nì iad dhut." Agus leum e às a sheasamh, chuir e car a' mhuiltein agus thàinig e sìos air aon chois.

"Feuchaidh sinn cruinn-bhuic," arsa Leumachan. Chroch e a' chruit air geug. Sheas e gun ghluasad, agus leum e aon deich troighean co-dhiù. Sheas an Sgeilbheag san aon àit' agus leum e dà throigh dheug co-dhiù, le na brògan donna.

"Feuchaidh sinn leth-chois, sìnteag, cruinn-bhuic," arsa Leumachan.

"A Sgeilbheag," arsa na brògan, "chan eil math dhut leum nas fhaide na e – brisidh tu a chridhe."

"Tha mise dol a leum cho fad 's as urra mi," ars an Sgeilbheag.

"Do thoil fhèin," arsa na brògan. "Cha bhi a bheag a phrothaid agad às."

Sheas Leumachan air leth-chois 's thug e brod an leum às, agus gun stad rinn e sìnteag a shìn fada, agus gun bhriseadh air a cheum thug e buic às a bha cumhachdach. 'S iongantach co-dhiù mura robh còig troighean fichead anns na leumannan sin air fad. Sheas Leumachan nam brèid 's nan toll ann an sin agus toileachas na aodann. Lean an Sgeilbheag e. Agus leis na brògan donna air a chasan shaoileadh e gu robh e ri sgèith, agus leum e co-dhiù aon troigh na b' fhaide na 'm fear eile.

Nuair a chunnaic Leumachan nan Leum mar a bh' air tachairt, shìn e a làmh chon na cruit agus bhris e i mu stoc craoibhe. Sgèith pìosan dhith a h-uile taobh. Shuidh e sìos air an talamh is ràn e gu goirt. Ràn e gu goirt agus dh'èigh e, "Cha seinn mi ach na sheinn gu sìorraidh buan."

Chunnaic an Sgeilbheag gu robh a chridhe brist', 's nach robh fiù 's ainm fhèin air fhàgail aige. Cha ghabhadh sìtheachadh air a-muigh no mach.

"Ma dh'èisteas tu, bheir mise dhut na trì buinn òir a th' agam ann an seo," ars an Sgeilbheag.

"Cha ghabh mi iad," arsa Leumachan. "Chan eil mi gan iarraidh."

"Cuir thus' ort na brògan sa," ars an Sgeilbheag, "agus feuch-aidh sinn aon uair eile."

"Cha chuir."

Fhuair e air innse dha mu dheireadh nach robh esan air a' chùis a dhèanamh air a-chaoidh às aonais nam brògan donna. Agus gu cinnteach is gu fìor gur h-esan Leumachan nan Leum. Ach cha deigheadh na brògan uime. Bha iad ro bheag dha, 's cha robh e riamh cleachdte ri bròig co-dhiù, neo comasach air leum leotha.

"Na bi ga do chur fhèin mun cuairt air mo lost-s'," arsa Leumachan. "Mo choire fhìn a bh' ann. Bha mi smaoineachadh gur mi a b' fheàrr a bh' ann."

"'S tu as fheàrr a th' ann fhathast," ars an Sgeilbheag. Ach nuair a dhealaich iad, cha robh iad buileach cinnteach neo buileach dòigheil.

"An dèan siud a' chùis an-diugh?" arsa na brògan.

"Nì," ars an Sgeilbheag, "agus a-màireach."

"Seadh," arsa Tormod, "'s dè thachair an uair sin?"

"Thachair iomadach rud sin," ars a sheanmhair. "Ach fòghnaidh siud a-nochd."

"'S mi fhìn nach eil glè thoilicht'," arsa Tormod.

"O, tha thus' rudeigin mar a bha d' athair fhèin – cha ghabh riarachadh ort," ars a sheanmhair. "'S iomadh cunnart tron deach an Sgeilbheag, agus 's iomadh caol-theàrnadh a chaidh air fad nan ceithir ràith seo," arsa bean Iain Tuirc. "'S mura tèid sinn ceàrr air a chèile ron ath-oidhch', cluinnidh tu 'n tuilleadh an uair sin."

Bha an Sgeilbheag air triall fada bho taigh athar, 's e dol tro gharbhlaich 's tro choilltean dorcha, 's e gu mòr air aineol. Am feasgar a bha seo, labhair na brògan ris, an dèidh dhaibh a bhith sàmhach deagh ghreis, agus thuirt iad, "'Ille, bi air d' fhaiceall, oir tha thu nis air còraichean an fhir mharbhtaich ud, Cathach nan Cath. Duine sam bith air am beir e ann an seo, tha e marbh."

"Bhoill," ars an Sgeilbheag, a bh' air fàs rudeigin bragail, "chan eil mise son a dhol air chùl chnocan ro dhuine sam bith. Cha tèid mi aon ceum far mo shlighe do dhuine dubh no geal."

"O," arsa na brògan, "tha Cathach nan Cath a' tighinn, agus 's fheàrr dhut ruith air neo thu fhèin fhalach – chan eil agad ach ùine glè bheag."

Ach cha robh an Sgeilbheag a' toirt mòran gèill dhaibh.

"O, a Sgeilbheag," arsa na brògan, "a mhic d' athar fhèin, a tha na rìgh air rìoghachd, 's aig a bheil caisteal a tha binneagach beàrnagach shuas gu h-àrd, is bonnant' mu mheadhan 's mu bhonn, seo tha sinne 'g àithneadh dhut: dèan às an aon là an-diugh mar a nì do chasan dhut, air neo crùb sìos gu h-ìosal am measg an t-seileastair. Geàrr sràbh à àiteigin agus leig thu fhèin sìos dhan bhreun-loch fhuar dhorch sin a chì thu à seo. Oir tha Cathach a' tighinn. A-màireach, tionndaidh 's cuir aghaidh air an duine a thogras tu; an-earar, cuir do bhonnan an tac 's na teich ro dhuine chunna tu riamh; ach an aon là an-diugh, ruith mar do bheath' air neo falaich thu fhèin."

"Bhoill," ars an Sgeilbheag, "nuair nach do theich mise ron a' Chaillich . . ."

"Do thoil fhèin," arsa na brògan, "ach 's e seo an rud: am b' fheàrr leat a bhith beò no marbh?"

"Beò," ars an Sgeilbheag.

"Seadh, ma-tha," ars iadsan, agus ruith an Sgeilbheag 's chaidh e air fàlach air cùl an t-seileastair. Gheàrr e dà shràbh dha fhèin le biodag na Caillich Crìon.

Air an fhionnaraidh, mus deach ciaradh gu dubhar, chual' iad a' tighinn e. Mus do dh'fhalaich an Sgeilbheag e fhèin fon uisg', fhuair e a' chiad sealladh 's an sealladh mu dheireadh air Cathach nan Cath – duine caol àrd cumhachdach agus teine a' lasradh na shùil. Aodann gun iochd gun thruas gun phàis. Sròin chrom. Beul mar lot air dhroch shlànachadh. Mu a mheadhan bha ròpa garbh, agus a' slaodadh ris bha sreath de chlaiginn, 's iad a' bragail na chèile a h-uile ceum a bheireadh e. Agus claidheamh fada, a bhiodh a' teasachadh 's a' fuarachadh. Nuair a b' fhuair' e, bha e dorch is ceò dheth, agus nuair a bu teoth' e, bhiodh e aige na làimh 's an lann aige dearg air fad agus a' lasradh 's a' gabhail. A-steach tro fhalt os cionn na cluais bha trì bioran caola fada, agus sin a dh'adhbhraich gun tugadh air Cathach nan Dealg 's nan Calg.

Spìonadh e fear dhiubh sin a-mach à fhalt agus leigeadh e às e, 's gar bith dè an cruth air an cuireadh tu thu fhèin, lorgadh e thu. Cha deigheadh e an ear dhìot, cha deigheadh e an iar dhìot, an gath grad guineach, mì-thruacant', do-sheachant', 's cha deigheadh e ort seachad, ach ruigeadh e thu. 'S nam faiceadh e thu na do leth-ruith, 's tu air do leòn, leigeadh e às an dàrna bior caol fada. 'S nam faiceadh e thu ag èirigh 's a' tuiteam, leigeadh e às an treas fear. 'S ged a bhiodh tu nad thosd, 's ged a bhiodh tu air phlosg, sgathadh e 'n ceann dhìot co-dhiù.

An aon bhoillsgeadh a fhuair Sgeilbheag air aodann 's air a chruth 's air a thruis, thòisich a chridhe ri bualadh mar òrd a-staigh na chliabh. Thòisich na brògan donna a' cunntadh nan claigeann ". . . dithis fhireannach, triùir bhoireannach, dà leanabh-cìch, triùir phàistean, dà mhadadh-allaidh, còig radain . . ."

Agus leig an Sgeilbheag e fhèin sìos dhan uisg', 's e cho fuar, 's e deoghal tro shràbh de dh'anail na ghleidheadh an deò ann, 's e slugadh 's a' tachdadh, 's a chridhe a' bualadh mu asnaichean mar dòrn air doras.

"Na caraich gu 'n gabh e seachad," arsa na brògan. "Cùm do cheann fodha."

Agus an dèidh ùine, thug iad cead dha a cheann a chur air uachdar. "Ach na caraich às far a bheil thu – 's dòch' gun till e 's a chluasan bioraicht'."

Mu dheireadh thug iad dha cead a thighinn às an uisg'. Bha am fuachd air a dhol domhainn ann. Thug e ùine a' feuchainn

suas chon na glasaich air a spògan, 's e cho lag ri cuileag geamh-
raidh a dh'èireas far a druim 's a thuiteas sa bhad an comhair a
cliathaich. Laigh e san dorchadas 's e leth-mharbh. Mus tàinig a'
mhadainn dh'èalaidh e air falbh air fhaiceall. 'S ro mheadhan-
latha bha e air astar math a chur às a dhèidh. Chaidil e ann an
cùil dhorch fad là is oidhch', agus cha b' urra dha gluasad ceart
fad seachdain. Agus a-rithist, sàbhailt ann an taigh athar, nuair
a chual' e fear a' cantainn ri fear eile, "Chan eil gu math dhut
a bhith breabadh an aghaidh nan dealg," chuimhnich e air na
bioran fada caola, 's air Cathach nan Cath a bha cho osgarra,
cosgarra, cèin. 'S air na claiginn, 's air uisge dorch, fuar na
breun-luich. 'S air na beanntan 's air na coilltean a bha ugalaidh,
cugalaidh, ciar. Is dh'fhairich e disear, fuar bho a mhullach gu a
dhà shàil.

Iain Geur

An dèidh dha tàrsainn às le bheath', bha an Sgeilbheag cho lag ris an fheur fad seachdain. Bha e ga fhaighinn fhèin critheanach sna casan is gliogach mu na glùinean. Ach bha e òg, fallain, agus bha piseach a' tighinn air a h-uile latha mar a bha dol seachad.

Chunnaic e taigh beag leis fhèin pìos bhon rathad agus ceò às an t-similear. Agus mar a dhlùthaich e air, nach ann a thàinig fear a-mach 's thàinig e sìos na choinneimh. Thòisich e ri còmhradh mus do ràinig e an Sgeilbheag.

"O," ars esan,

"Dà chaora 'g èigheachd
's na h-uain às an aonais,
dà chaora cheann-dubh
gam amharc, gun ghluasad,
dà chaora nan deann-ruith
's gun ach aon adharc eatarr':
cia mheud caora tha sin?"

Bha an Sgeilbheag fhathast gu math clèigeach, cadalach, 's cha do dh'eirmeas e ceart air a' cheist. Cha bu leisg leis an duine a cantainn a-rithist. Agus fhreagair an Sgeilbheag, "Tha a sia."

"A thruaghain bhochd," ars an duine. "Cha mhòr feum a bhiodh annad na do chìobair, a' cunntadh nan treud."

Agus cò bha seo ach Iain Geur. Neo, mar a chanadh cuid a

dh'aithnicheadh e, 'Fear na h-inntinne gèire a' dol buileach nas geòire'.

"Dà fhitheach mu chlosaich,
fitheach a' sealltainn is sùil na ghob,
fitheach sàmhach is sùil ga slugadh:
cia mheud sùil a tha sin?"

"Stad mionaid," ars an Sgeilbheag. "Chan eil cho fada sin bho dhùisg mis'."

"Balach òg mar thus', a bu chòir a bhith ann am mullach a chluich, 's cha fhreagair thu ceist bheag shìmplidh dhen t-seòrs' ud." Agus thàinig Iain Geur teann air agus chuir e an aon cheist air a-rithist: "Cia mheud sùil a tha sin?"

"Nach can thu rithist e, 's gabh air do shocair e," ars am balach.

"O, ged a chanadh," arsa fear na h-inntinne gèire 's e crathadh a chinn.

"Naoi," ars an Sgeilbheag 's a mhaoil na laoigeanan 's na preasan.

"O, chlèigire bhochd gun chlì," ars Iain Geur, "'s math a chuir riut nach robh do bheath' an crochadh ris, neo bhiodh tu cho marbh ri sgadan."

Cha robh na brògan a' cantainn diurra-bhig. Bha an Sgeilbheag fhathast rudeigin sgìth an dèidh na bha e air a dhol troimhe. Chan fhuiricheadh aon smuain na cheann. Bha inntinn is aire cho corrach ri ugh air bonnach. Agus ma dh'innsear an fhìrinn, bha e airson ruith.

"Duine duilich tha seo, ceart gu leòr," arsa na brògan, "gu

h-àraid tràth dhen an latha, ach, 'ille, feumaidh tu feuchainn, agus do cheann a chur far na chuir do chasan thu."

"Cha . . . cha . . . cha chuala mi sin a-riamh," ars an Sgeilbheag. "'S e bhite ag ràdh, 'An rud a chuireadh e na cheann, chuireadh e na chasan e'."

"Tha thu ri dùsgadh," arsa na brògan ris.

"Feuchaidh mi rithist thu le na fithich," dh'èigh Iain Geur:

"Dà fhitheach air creig,
dà fhitheach gob ri gob,
fitheach ag èigheachd air fitheach:
cia mheud fitheach a tha sin?"

"Dà fhitheach," ars an Sgeilbheag.

"Chan eil mi 'g ràdh nach dèan thu feum fhathast, latha dhe na lathaichean," thuirt am fear eile.

"Eil thu a' fuireachd ann an seo leat fhèin gun duin' eile faisg mìle ort?" ars an Sgeilbheag.

"Gu dearbha chan eil," arsa fear na h-inntinne gèire, "tha cat agam is teine 's pìob. Ach," ars esan, "'s fhada bho dh'fhalbh a' bhean agam, agus tha mi ceart coma. Chan èisteadh i ri facal a bha mi 'g ràdh. 'S e a chuir ormsa gun tug i leatha a' bhò. Bò sholt shuairce a bha fada na bu thoinisgeil' na i fhèin."

"Tha sin a' cur nam chuimhne-sa pìos bàrdachd a bhithinn a' cluinntinn aig m' athair," ars an Sgeilbheag.

"Eil e fada?" arsa fear na h-inntinne gèire.

"Chan eil."

"Siuthad a-rèist," ars esan, "ach am faigh sinn seachad e."

"*Gun athair gun mhàthair,*
gun phiuthar gun bhràthair,
     O hoh.
Gun dùil ri litir –
tearc a thig tè,
     O hoh.
An uair a thig tè, 's e tè odhar,
nach dèan còmhnadh dhomh neo cobhair,
     O hoh.
Bha bean agam – rinn i mo thrèigsinn;
cha robh sinn sona còmh' ri chèile,
     O hoh.
An ceann seachdain bha i sgìth dhìom,
Agus mise seachd sgìth dhìthse,
     O hoh.
Cò a chanadh mus do phòs sinn
gu maoidhinn-sa mo dhòrn oirr',
     O hoh.
Gun athair gun mhàthair,
gun phiuthar gun bhràthair,
     O hoh.
Gun dùil ri litir –
tearc a thig tè,
     O hoh.
Dà chat agam is cù,
botal claich is cuibhrig ùr,
     O hoh.
'S an aiseid mhòr na seasamh
Shuas am bàrr an dreasair,
     O hoh.
     O hoh."

"Glè mhath, glè mhath," ars Iain Geur. "Eil càil idir agad ach sin – eil tòimhseachanan agad idir?"

"Bhoill . . . stad ort . . . tha . . . dè mu dheidhinn:

Bodaich bheag gun fhuil gun anam
A' danns air talamh cruaidh."

"Tiud," ars Iain Geur, "chuala mi sin mus robh mi mach às a' chreathail – clachan-meallain."

"Isean beag eadar dà bheinn," ars an Sgeilbheag,
"'s bidh e seinn gu 'm bàsaich e."

"Ist a-nis dhe do mhì-mhodh – tha sin ro fhurast' – ach ma tha thu bruidhinn air 'eadar', èist seo. Dh'fheumte deich ùbhlan a roinn eadar àireamh shònraichte de dhaoine – dè 'n àireamh a bha sin?"

"Cha ghabh sin dèanamh," ars an Sgeilbheag. "Chleachdas a bhith cantainn riumsa nach robh mi buileach dona air cuisteanan, 's air na rudan sin – chan eil thu air gu leòr innse dhomh."

"Tha," arsa Iain Geur, "agus tuilleadh 's na tha dhìth ort."

"Chan eil."

"O, ge-tà, tha!"

"Chan eil."

"O, gu dearbha fhèine tha! Èist ris a h-uile facal a-riamh!" dh'èigh Iain Geur. "Ris a h-uile diabhal aon!" dh'èigh e rithist.

"An diabhal," ars an Sgeilbheag ri na brògan, "seall an seòrsa duine a tha tighinn na mo lùib-s'."

"Chan eil aig' ach an fhìrinn," arsa na brògan.

"An ann leamsa a tha sibh, neo 'n ann leis-san?" dh'èigh an Sgeilbheag.

"Chan eil sinne le fear seach fear agaibh. 'Fear seach fir' a b' fheàrr leinn a ràdh," arsa na brògan, agus iad fhèin rudeigin diùid ann an cuideachd Iain.

" 'Fear seach fear' a th' ann," ars an Sgeilbheag. "Tha sibh air a dhol tuathal."

"Chan eil math dhut a bhith còmhradh riut fhèin 's ag èigheach," ars Iain Geur. "Cha chuidich sin leis a' chùis idir, idir. Ach cuidichidh mi fhìn thu," arsa fear na h-inntinne gèire a' dol tuilleadh nas geòire, agus e bus ri bus ris, "ged nach bu chòir dhomh . . . Èist a-nis ri na facail a chanas mi. Chaidh duine àraidh sìos o Ierusalem gu Iericho agus thuit e am measg luchd-reubainn – eil thu ga mo chluinntinn?"

"Ro mhath," ars an Sgeilbheag, 's a cheann a' fàs goirt.

"Dè nise tha sin ag innse dhut – cia mheud luchd-reubainn a bh' ac' ann?"

"Chan eil fhios air a sin," ars an Sgeilbheag.

"Tha! Tha! Tha!" dh'èigh Iain Geur. "Am measg! Am measg! Luchd! Luchd! Eil thu idir, idir a' faicinn, neo am feum mi do cheann a gharadh ris an teine gus am beothaich do thuigs'?"

"Chan eil e air inns' cia mheud a bh' ann," ars an Sgeilbheag ann an guth ìosal, 's e air a dhol cho geal ris a' ghruth.

"O, mar a tha thu a' tachairt rium," ars Iain Geur. " 'S urrainn dhut a dhèanamh, tha làn-fhios a'm gun urrainn, agus rudan fada mhòr nas dorra na seo." Bhuail Iain Geur a dhòrn a-steach na bhois, 's thuirt e ann an guth brist', mar dhuine foighidneach a bh' air fheuchainn seachad air a chomas, "Barrachd air dithis . . .

barrachd air dithis . . . obh, obh, obh . . . mar a tha 'n saoghal a' tachairt rium*'*."

Chrom e a cheann is thuirt e air a shocair, "Eadar: dithis . . . am measg: barrachd air dithis."

"Tha mi tuigsinn a-nis dè th' agad," ars an Sgeilbheag, "ach seall an-dràst: chleachd gun cluinninn aig mo mhàthair 'Chan eil fhios a'm dè nì mì, eadar a h-uile càil a th' ann . . .' Ciamar a tha sin a' freagairt?"

Ach bha Iain Geur a' smaoineachadh mu rudeigin eile. "Feumaidh mi dhol a-steach 's mo phìob agus mo thombac' fhaighinn," ars esan.

"Nuair a thilleas e, cuir an tè s' air," arsa na brògan donna:

"Chunnaic duine gun shùilean
ùbhlan air craoibh:
cha tug e ùbhlan dhith
's cha d' fhàg e ùbhlan oirr'.
Ciamar a bha seo?"

"Chuala mise sin uaireigin," ars an Sgeilbheag, "ach gu lobht', leibideach, tha e air a dhol às mo chuimhne . . . Stad ort . . ." Agus shuidh e sìos san ùir agus thuirt e, "Chan eil feum sam bith annam, 's cha bhi gu sìorraidh."

"Tud . . . feuch an ist thu," arsa na brògan, "'s ann annad a tha."

"O, chan eil."

"Èirich à sin mus till e," arsa na brògan, "mus bi thu air do mhaslachadh. Seas!"

Sheas an Sgeilbheag. Chaidh an saoghal dorch dha 's cha mhòr nach do thuit e, leis an luairean a bha na cheann.

"Tilg dhìot aon bròg," arsa na brògan donna, "agus seas air leth-chois."

Rinn e sin.

"Cha tug e brògan dheth 's cha do dh'fhàg e brògan air. A bheil thu tuigs' a-nis?"

"Tha, tha, tha, tapadh leibh," ars an Sgeilbheag, "duine le aon sùil . . . dà ubhal . . . thug e aon dhith . . . nach ann agams' a bha ubhal is balgam de bhainne."

Thill Iain Geur 's a' phìob na phluic, is colas air.

"Chunnaic duine gun shùilean ùbhlan air craoibh . . ." ars an Sgeilbheag ris.

"Tha fios a'm air," arsa fear na h-inntinne gèire.

"Na thomhais thu e?" ars an Sgeilbheag.

"Thomhais," ars Iain Geur.

"Ach an d' fhuair thu cuideachadh?"

"Cha d' fhuair. Thug e dà latha bhuam. Cha robh annam ach am pàist'. Carson a shad thu do bhròg a-null a dhìg an rathaid?"

"Airson siud fhèin," ars an Sgeilbheag.

"Nis," arsa Iain Geur, "bha tuathanach ann an siud uaireigin, 's bha aige ri ochd gallain de bhainne a roinn eadar dithis a dh'aithnicheadh e. Cha robh aig' ach trì soithichean, agus ghabhadh iad ochd, còig agus trì gallain am fear. Ciamar an-dràst a dheigheadh aig' air a dhèanamh?"

"Na rinn thu fhèin e?" ars an Sgeilbheag.

"O, rinn, 's mise gun rinn sin," ars Iain Geur.

"'S dè cho fad' 's a thug e bhuat?"

"Coma leats'," arsa fear na h-inntinne gèire.

"Chan ann sgìth dhe do chuideachd a tha mis'," ars an

Sgeilbheag, 's e tighinn a-mach leis a' chiad bhreug a bha e air inns' bho dh'fhalbh e air a thuras, "ach cha dèan seo e."

"Nach fuirich thu greiseag – dè do chabhaig?" ars am fear eile. "Fuirich: tha fear nas fhas' agam dhut:

Tha bràthair aig bràthair m' athar,
'S cha bhràthair-athar dhomhs' e."

"Mar sin leibh," ars an Sgeilbheag ris, agus chuir e air a' bhròg a bha thall an oir an rathaid, agus ghabh e roimhe suas an rathad.

"Seo fear furast," ars Iain Geur, 's e ga leantainn:

"Tha tòimhseachan agam ort:
chan e do cheann, chan e do chas,
chan e d' aodach, chan e d' fhalt,
chan e ball e a tha nad chorp,
ach tha e ort, 's cha tomhais thu e."

"An sgìths," ars an Sgeilbheag.

"Chan e."

"Cabhaig."

"Chan e."

"Acras."

"Pathadh."

"Fadachd," ars an Sgeilbheag thar a ghualainn.

"Chan e."

"Cianalas."

"Chan e! Chan e! Chan e!" dh'èigh Iain Geur, àird a chlaiginn. "D' ainm! An diabhal . . . d' ainm!"

Agus smaoinich an Sgeilbheag nach do dh'fhaighnich fear na h-inntinne gèire dha aon uair dè 'n t-ainm a bh' air, no an robh an t-acras air, no am pathadh, 's nach tug e cuireadh dha a thighinn a bhroinn an taighe.

Chrath am fear eile a cheann. Ars esan ris fhèin, "O, a chloidseir bhochd, tha thu mar a h-uile duine eile a tha tighinn an taobh s' – tiugh sa cheann."

Agus ghabh e steach an taigh, fear na h-inntinne gèire a' dol tuilleadh nas geòire, agus shuidh e ris an teine còmhla ris a' chat.

Cailean Mi Fhìn

"Dè thachair an uair sin?" arsa Tormod.

"Dè thachair," ars a sheanmhair, "ach gun chùm e a' dol."

'S e bh' air a dhòigh nach robh duin' ann a bhiodh a' cur cheist-ean air. Choisich e mìltean air mhìltean gus na shìolaidh e. An ath thaigh a ghlac aire, 's e fear a bha na sheasamh leis fhèin shuas air cnoc agus na h-uinneagan aige ri glacadh gathan na grèine 's gan tilgeil a-steach na do shùilean. Ars esan ris fhèin, "Tha brod na dachaigh aig cuideigin ann an siud." Smèid dithis air an Sgeilbheag bho taobh a-staigh a' gheat'.

"Trobhad a-steach còmhla rinn. Tha e fhèin aig an taigh an-diugh. Gheibh thu do dheagh fhàilteachadh. Thèid frithealadh ort le biadh is deoch. Ann an ceithir ranna ruadha an domhain chan eil duine cho fialaidh is cho faoilidh ri Cailean." An teis-meadhan na cuideachd chunnaic an Sgeilbheag duine mòr, eireachdail, agus bha e dìreach an uair sin fhèin a' crìochnachadh seanchas a bha gu math èibhinn.

"'O, bhoill'," arsa mise ris an uair sin, ars esan riumsa," arsa Cailean. "Ars ise."

Agus thòisich a h-uile duine a bha staigh, 's cha bu bheag sin, a' lachanaich 's a' gàireachdainn. Bha iad gu sracadh. Agus cò bha seo ach 'Cailean Cò Th' ann Ach Mi'.

"Thigibh a-steach, a bhalachaibh!" dh'èigh e. "Cuimhnichibh, chan ann an taigh an duine bhochd a tha sibh! Dè ghabhas tu?"

ars esan ris an Sgeilbheag, agus lìon e glainne mhòr uisge-beatha dha.

"O, tha taighean gu leòr timcheall an seo, 's abair thusa gast, ach cha toir iad dhut uiread 's a dheigheadh fo do shùil, de rud sam bith. Ach chan e sin dhuinn' e. Bha m' athair na dhuin' aoigheil, agus athair roimhe.

"A bhean, leasaich an stòp dhuinn," dh'èigh Cailean, "is lìon an cupan le sòlas."

"Càit an cuala mise siud?" ars an Sgeilbheag ris fhèin.

Thall am measg nan ceatharnach chunnaic e boillsgeadh de bhoireannach brèagha, bàn, is cuairtean fo na sùilean aic', 's a h-uile colas oirr' gu robh i gus a beul a bhualadh fòidhp' leis an sgìths.

Chunnaic an Sgeilbheag gu robh na fir òga air am beò-ghlacadh le Cailean. Agus gu robh cuid aca ri còmhradh 's ri coiseachd dìreach mar a bha esan. Bha dùil aige gun innseadh e dhaibh mu Chathach nan Cath. 'S dòch' gun cuireadh e tòimhseachan no dhà orr'.

"Ciamar a tha leabaidh an leisgein ro fhada dha?"

"O, chan eil fhios, tha cho math dhut innse dhuinn – siuthad, a-mach leis, a bhalaich!"

Agus chanadh e fhèin, "Seach gu robh e ro fhad' innt'."

Neo chuireadh e seo orr':

"Chan eil e muigh,
Chan eil e staigh,
'S cha dachaigh i às aonais."

"Tiud! Chan eil sinne a' dèanamh bun no bàrr dheth, tha

a cheart cho math dhut innse dhuinn. Seadh, doras, arsa tus'
– nach tu tha èibhinn, 's cò leis thu co-dhiù, 's càit a bheil dùil
riut?"

Ach cha d' fhuair e mòran teans' air càil a ràdh.

Bha Cailean a' seinn amhran gaoil. Agus nuair a sguir e,
thuirt fear dhe na balaich, "A, nach ann agad a tha an guth."

"O, bha guth gu math càilear aig do mhàthair fhèin," arsa
Cailean, "ged nach robh 'n ceòl 's an cumhachd na guth a bh' ann
an guth mo mhàthar-sa."

Thall air cùlaibh Chailein chunnaic an Sgeilbheag gu robh a
bhean a' togail a sùilean suas a chum nam beann.

"Co-dhiù," arsa Cailean, "fhuair mi 'n ceòl bho mo mhàthair
's a' bhàrdachd bho m' athair còir nach maireann."

"Am bi sibh ri bàrdachd?" ars an Sgeilbheag.

"Bithidh, a bhalaich, nuair a leigeas an drip dhomh," arsa
Cailean. "Bàrd ainmeil a bha nam athair, 's thèid duine ri
dhualchas seachd uairean san latha, gun fhiosta dha fhèin."

"An dùil a . . . dè mu dheidhinn nan gabhadh tu fear ac' – fear
dhe na dàin a rinn d' athair . . ."

"O, chan eil fhios a'm," arsa Cailean, 's chuir e a làmh suas is
thòisich e a' slìobadh fhuilt air ais.

"Siuthad, a Chailein!"

"All right, a-rèist," ars esan. "Seo fear a rinn e 's e air tilleadh
leis an acras às dèidh dha bhith cuairt cladaich."

"Siuthad, dall air, a Chailein!"

"Na rinn sibh buntàta pronn, buntàta pronn,
na rinn sibh buntàta pronn,
an rud as fheàrr leam a th' ann?

Cha do rinn an-diugh,
cha do rinn an-diugh,
ach gheibh thusa dà ugh.

Is bonnach coirc a dh'fhuin mi fhìn,
bonnach coirc a dh'fhuin mi fhìn,
's na thogras tu de dh'ìm.

"'S e seòrsa de dh'fhiosaich' a bha nam athair-s'," arsa Cailean.
"Seo luinneag eile a rinn e goirid mus do bhàsaich mo mhàthair."
"Siuthad, a-nis, a Chailein."

"Tha casan Ciorstaidh goirt an-diugh,
tha casan Ciorstaidh goirt,
tha casan Ciorstaidh goirt an-diugh,
cha deach i dhan a' mhòine.

Tha casan Ciorstaidh goirt,
tha casan Ciorstaidh goirt,
tha casan Ciorstaidh goirt an-diugh,
cha tèid i mach a chèilidh."

Chrìochnaich Cailean is chrom e a cheann.
"O, bhoill, 's e bàrd a bha nad athair, dha-rìribh," ars an Sgeilbheag.
"'S e bàrd dha-rìribh a bha nam athair," arsa Cailean. "Nach e sin a bu chòir dhut a ghradha?"
"'S e sin a bha dùil a'm a chantainn," ars an Sgeilbheag. "Agus dè mu dheidhinn do bhàrdachd fhèin?"

"O," arsa Cailean, "tha a' bhàrdachd ag èirigh às na daoine againne mar a thig bùrn-èirigh gu 'n uachdar. Rinn mise bàrdachd – 'Òran a' Gheamhraidh' – agus ged as e mi fhìn a tha ga ghradha, 's iongantach g' eil a leithid ann."

"Siuthad, ma-tha."

Chuir Cailean a làmh suas air a lethcheann agus ars esan, "O, chan eil fhios a'm."

"Siuthad, a-nis," arsa càch.

"Ceart gu leòr," ars esan, "seach gun tug sibh orm . . . 'Òran a' Gheamhraidh'," ars esan, ann an guth ìosal.

"Mun àm sa bhliadhn'
tha a' ghrian air teiche gu deas,
tha i dìreadh air èiginn os cionn na beinne
's a cromadh sìos às.

An loch cho caol ri sgithinn
eadar a bruaich,
solas fuar a' gheamhraidh
a' deàlradh bhuaip'.

An tunnag bhochd, nach mairg dhi
latha nan seachd sian,
mis' is tus' le dachaigh bhlàth,
's an cat 's an cù fo dhìon."

Chrom Cailean a cheann is bhris air. "Gabhaibh mo leisgeul . . . tha e a' buntainn rium . . . tha e cho domhainn . . .

"Gun fhasgadh air domhain ac'
a Shàboind neo sheachdain,
ach a' crùbadh còmhla
gus fuachd bàis a sheachnadh.

Na rionnagan a' priobadaich gu h-àrd,
lanntairean beaga fuara
gorm-lasrach, dearg-bristeach, geal-daoimean
nach stad fad diog na h-uarach.

Ach reult an fheasgair fhèin a-mhàin,
a tha cho soilleir rèidh:
glan geal, sìobhalt i na h-aimsir
seach gach tè.

Mun àm sa thig gaoth gheàrrt' o tuath,
tha cabhadh is flin an dàn dhuinn;
m' athair leis an tùchadh, bròinean,
oir a bheòil air sgàineadh."

"Eich, eich, eich," arsa Cailean, agus thiormaich e a shùilean
le nèapaigear sìoda.
"Cùm ort, cùm ort."

"Mo thruaighe gill' òg mòintich
air am beir cabhadh
astar mhìltean a-muigh,
aimsir mheallt' air a charadh.

Tha canach an t-slèibhe glè gheal,
cop na fairge tuilleadh nas gile,
ach cha mhòr nach dall ùr-chòmhdach sneachd thu
le fhìor ghilead."

Ach nach ann a stad e an uair sin agus dh'èigh e ri bhean, "Tha mise gad fhaicinn . . . na bi smaoineachadh nach eil . . . a' roiligeadh do shùilean . . . a gheal-shùileach bhochd gun chonn . . ."

O, bhruidhinn e rithe gu math nasty, ann am fianais a h-uile duine, 's chuir e cho suarach i ri tràill agus ri sgalag, ann an sin, na dachaigh fhèin.

"O, bhoill," ars an Sgeilbheag ris na brògan, "'s math g' eil a' bhrolais ud seachad."

"Come on now," arsa na brògan donna, "give the man his due – bha pàirtean dheth glè mhath!"

"Ma bha, a-rèist," ars an Sgeilbheag. "B' fheàrr leamsa fada a' bhàrdachd ud a rinn athair, leanabaidh 's mar a bha i."

"O, bhoill . . ." arsa na brògan.

"Teich leis," ars an Sgeilbheag, "bha a' bhàrdachd aige mar e fhèin: làn gaoith."

Greiseag an dèidh seo, thug Cailean a-mach iad ach am faiceadh iad am pìos a chuir e ris an taigh.

"A bhalachaibh," ars esan, "cuin a chunna sibh clachaireachd mar sin?" Shuath e a làmh air a' bhalla. "Seall mar a tha na clachan sin agam air an teum ri chèile 's air an leigeadh a-steach na chèile. Chan urra mise cus uaill a dhèanamh às a sin – 's e th' ann ach tàlant a thug mi às a' bhroinn."

"O, 's e clachaireachd ghrinn a tha sin, a Chailein," arsa fear dhe na balaich.

"Agus seo a' chlach mhòr, air cùl an taighe ann an seo, a thog m' athair. Mi fhìn 's e fhèin, sin uireas a thog a-riamh i bhon talamh. Agus seo an lèana far am biodh sinn a' cur na dòrnaig, 's far am biodh sinn a' feuchainn air a' mhaide-leisg."

"Chleachd iad a bhith cantainn riumsa nach robh mi fhìn dona air sadadh na dòrnaig," ars an Sgeilbheag.

"Thusa?" arsa Cailean.

"Seadh. Agus chan eil mi 'g ràdh nach dèanainn glè mhath air a' mhaide-leisg cuideachd."

"O, bu chaol do rathad ris, a mhaothain balaich," arsa Cailean. "Ma thèid thu dh'fheuchainn annamsa, creanaidh tu air mar a chrean iomadach amadan romhad. Cnuasaich air leud mo dhroma, air doimhne mo bhroillich, agus air an dà ghàirdean fhèitheach, fhionnach sin."

Ach bha an Sgeilbheag air a dhol tro iomadh gàbhadh. Bha àird air a thighinn ann. Bha e air cuideam a chur air. Bha aodann is amhaich dorch aig a' ghrèin. Às dèidh na bha e air fhulang, bha e ga fhaighinn fhèin cho làidir ri each beag màsach, molach, muingeach.

Shuidh iad air a' ghlasaich mu choinneamh a chèile. Chuir an Sgeilbheag a bhonnan ri bonnan Chailein. Agus thòisich iad a' dràghadh 's a' tarraing. Ach brògan donna ann neo às, agus each molach, muingeach, màsach ann neo às, rinn Cailean a' chùis air trì turais, 's cha robh sin ro dhuilich dha.

"O, feumaidh tu bonnach no dhà ithe fhathast, a bhalaich," arsa Cailean, agus chuir e falt na Sgeilbheig troimh-a-chèile le a làimh. "Seall fhèin air na crògan sin," ars esan ris an Sgeilbheag, "leis am faodainn d' fhàsgadh nam b' e sin mo thoil."

Bha aodann na Sgeilbheig air a dhol cho dearg, leis an nàire. Chaidh e sàmhach, 's cha bhruidhneadh e ri duine.

"Bhon a bha e cho làn dheth fhèin, bha dùil agad nach robh dad a dh'fheum ann," arsa na brògan. "Ach bha thu air do mhealladh. Tha thu nis air do thàmailteachadh. Bho nach deach leat, tha thu nis cho dùdach is cho dùr ri sean nighean nach d' fhuair a slìobadh no a gioradh." O, cha do sheachain na brògan e. Cha do shèam iad e.

"Cha robh siud glè ghlic dhomh," ars an Sgeilbheag.

"Dh'fhaodadh tu fhèin a ghradha," ars iadsan, a dh'aon ghuth.

Chaidh a h-uile duine steach an taigh a-rithist, agus lìon Cailean ghlainne mhòr 's chuir e sìos i air beulaibh na Sgeilbheig.

"Seo, a bhalaich – chan fhaigh thu leithid an stuth sa ach ann an taigh Chailein."

"Na òl ach an tè s'," arsa na brògan ris. "Bidh tu fann claoidhte gu leòr mus fhaigh thu à seo, gar am biodh ceann goirt is aithreachas ort."

"Feuch a-nis ma bhios tu 'n taobh s'," arsa Cailean, "gun tig thu steach ach an gabh mi do naidheachd . . ."

"Thig," ars an Sgeilbheag. Ach ris fhèin 's e thuirt e, "Cha tig, cha chreid mi gun tig . . ."

Às dèidh dha beannachd a leigeil le Cailean, ghabh e air a shlighe.

Thug e dhà na thrì lathaichean ga dhìteadh fhèin chionn 's nach robh cus feum ann air dòigh air domhan.

Chaidil e latha 's oidhche gun smuaisleachadh. Ars esan ris na brògan, "Carson co-dhiù a bha mi cho buileach claoidht'?"

Fhreagair na brògan donna. Ars iadsan ris, "Chaith thu leth latha còmhla ri 'Cailean Cò Th' ann Ach Mi', agus, a Sgeilbheag, sin agad carson."

Am Fear Nàimhdeil, Neimheil

"An dùil dè thachair an uair sin?"

"Thachair iomadach rud sin."

An oidhche bha seo agus an Sgeilbheag na chadal fo chraoibh, 's na brògan donna aige mar chluasaig fo cheann, bhris iadsan a-steach air a shuaimhneas le na facail "Dùisg! Dùisg!"

"Dùisg!" arsa na brògan, "'s tu ann an cunnart do bheath'."

Thug iad briosgadh air. Bha e air a bhith trom na chadal. An ath mhionaid bha e na shuidhe agus buille a chridhe na chluasan. Bha 'n oidhche cho dorch ris a' bhìth fhèin. Cha bu lèir dha àird an dùirn. 'S cha robh aon deò gaoith ann. Bha na h-eòin ceann-fo-sgiath nam badan is nan cùiltean fhèin. Bha seòrsa de chlos air an domhan mhòr.

"Dè 'n cunnart?" ars an Sgeilbheag. "Tha 'n oidhche cho dubh dorch ri poit-tearra – chan fhaic mi nì, 's chan fhaicear mi, 's dè rèist as ciallta dhuibh? Leigibh dhomh cadal, 's mi cho sgìth," ars esan, agus shocraich e a cheann a-rithist air na brògan donna.

Ach aon norradh chan fhaigheadh an Sgeilbheag. Bha 'n cadal air falbh dheth. Chaidh e na shuidhe.

"'Eil thu cluinntinn càil?" arsa na brògan.

"Diurra-bhig," ars esan, "ach a' chailleach-oidhch' ag èigheachd deagh phìos às."

"Dè 'n còrr?" ars iadsan.

"Daolag a' gluasad air ùrlar na coille."

"Dè 'n còrr?"

"Buille mo chuisle."

"Dè 'n còrr?"

"Chan eil ach sin."

"'Eil thu idir a' cluinntinn gheugan a' briseadh is corra eun ag èirigh le placadaich sgiath?"

"Chan eil mi cinnteach a bheil no nach eil," ars an Sgeilbheag.

"Seas," arsa na brògan donna, "tha rudeigin a' tighinn."

"Dè an seòrsa rud?"

"Chan eil fhios: 's dòch' gum bi e ann an riochd beathaich, 's dòch' ann an riochd duine."

"Carson? Cha do rinn mise càil air duine."

"Fàg dhìot na brògan donna. Thoir asta na barallan. Ceangail biodag na Caillich ri ceann do bhata daraich. Le snaimeannan nach gèill. Dà thuras agus dà thuras dùbailt." Cha robh na brògan donna air òraid cho fada a dhèanamh bho chionn deagh ghreis.

"Thall gu do chùlaibh," arsa na brògan, "tha còraichean d' athar. Ma gheibh an rud a th' ann seachad ortsa, nì e an uair sin air d' athair an rìgh. Goididh e steach mar fhaileas eadar an latha 's an oidhch' mus dùinear an geat', no mar dheannag deathaich eadar an oidhche 's an latha nuair a dh'fhosglar e."

Rinn an Sgeilbheag mar a dh'iarradh air. Ach gheàrr e a làmh le clibisteachd is cabhaig, 's am fiodh cho cruaidh, 's chaidh sruth fala gu làr.

"Dè nan ruithinn, dè nan deighinn air falach?"

"Ged a ruitheadh 's ged a dheigheadh, cha dèanadh e a bheag a dh'fheum dhut. Mharbhadh e thu co-dhiù, 's bhiodh do chnàmhan is d' eanchainn 's an còrr dhìot aige sgapt' air feadh an àit'."

"Dè a' ghnothaich a th' agamsa ris, no aigesan riumsa?" ars an Sgeilbheag.

"Chan eil fhios air a sin," arsa na brògan donna, "ach seo an t-àm agus seo an t-àit'."

"Leis an fhìrinn innse dhuibh," ars an Sgeilbheag, "tha crith tromham gu lèir agus tha gaoir nam fheòil."

"Chan eil sinne a' cur umhail ort," arsa na brògan, "'s gu dearbha cha lùigeadh sinn a bhith nad àit'."

"Chan eil de lùths annam na sheasas – ciamar as urra mi a dhol na ghlaic?"

Sheas an Sgeilbheag san dorchadas, 's cha deigheadh aige air e fhèin a cheannsachadh. A h-uile freumh feagail a dh'fhairich e na bheath', gach gath gairiseachaidh, a h-uile pioc sgàig is oillt is uamhainn a rinn a-riamh luidean dheth, agus còrr – chruinnich iad na chom nan aon bhailc. Leig e às ràn mar a leigeadh leanabh. Lùig e a bhith marbh. 'S gu sluigeadh an talamh e mar a bha e, e fhèin 's am bata treun daraich is biodag dheàlrach na Caillich Crìon ceangailte ris le snaimeannan nach gèilleadh, dà thuras agus dà thuras dùbailt.

Oir chluinneadh e, fada, fad' às, geugan a' briseadh is corra eun ag èirigh le placadaich sgiath, agus rudeigin no cuideigin na dhearg-dheann a' dèanamh air. Rudeigin no cuideigin aig an robh bith bàis dha bho thoiseach is bho thùs. Agus a shaltradh crùn an rìgh fo chasan mura gabhte roimhe.

"Chan eil mòr-dhiofar leams' a-nis am bi mi beò no marbh," ars an Sgeilbheag, "agus ged a b' e ainmhidh an t-sluic thu, cuiridh mi aghaidh ort."

"Sin thu fhèin, a chaomhain," arsa na brògan donna – a' chiad turas 's an aon turas a chualas a leithid ac'. "Theirig a-mach a-nis a mheadhan na buaileig sin, far nach eil craobhan, agus cleachd thu fhèin ris an àit'. Bi air ghleus. Bonnaich do chasan fodhad. Cruinnich thugad neart do shinnsiribh."

Sheas an Sgeilbheag far na dh'iarradh air, air a chasan loma.

"Tapadh leibhse," ars esan ri na brògan. Mus robh e càil ach air na facail a leigeil às a bheul, chual' e seòrsa de sporghail is leum an rud mòr dubh a bha seo a-mach air a mhuin.

Chaidh an Sgeilbheag sìos air aon ghlùin, is fhuair e fodha. Bha grèim teann aige air a' mhaide daraich, 's a' bhiodag air a teum ris, agus shàth e seo suas a mhionach a' bheathaich mar a dheigheadh aig' air. Dh'aithnich e gun rinn e call, 's gun deach e domhainn. Oir shil sruth fala sìos mu cheann 's mu shùilean.

Bha 'm beathach a-nis air chruth eile, cho fad 's a chitheadh an Sgeilbheag. 'S e a bha a' tighinn air ach ceàrnag de dhuine molach dorch anns an robh neart triùir. Chrath an Sgeilbheag an fhuil às a shùilean, 's nuair a leum a' chùis-eagail air a-rithist, fhuair e air bàrr na biodaig a chur a-steach na ghualainn. 'S a-rithist a-steach a thaobh na h-amhaich. Feumas e bhith gu robh cumhachd ann am biodag dheàlrach na Caillich Crìon. Am beathach a bha guineach, gonach, gamhlasach, ghoid i a neart. A' bhiast a bha gu tur iargalta, borb, ana-cneasta, thug i le trì ionnsaighean buaidh air a nàimhdeas agus air a neimh.

A rèir colais, b' e a bh'aige mu choinneimh a-nis, agus ga chuartachadh, ach duine mar e fhèin. Ach gu robh e dorch, molach agus nach gabhadh sgìthseachadh air. B' e a bh' aca nis ach gleac is sàthadh is sadadh is tuasaid is buille is sgleog is tachdadh is ditheadh is fàsgadh.

Bha a' mhadainn air spiacadh a dhèanamh san àird an ear gu seo, agus chitheadh an Sgeilbheag glè mhath cò a bh' aige – duine dorch, balbh, molach, molanach, mùdanach, nach do rinn gàire riamh, agus nach gabhadh sgìthseachadh. Mus do lùghdaich, mheudaich an cuid spàirn. Gus mu dheireadh gun dh'èirich ceò dhiubh, 's gu robh iad cho teth 's gu robh am feur a' gabhail teine fon casan is meanglanan nan craobh ri losgadh nam buaileadh iad annt'.

"O, bhoill, a sheòid," ars an Sgeilbheag, "ma tha dùil agad cumail ort fad an latha, tha 'n aon seasamh-ris agamsa."

Agus chùm iad a' dol gus an robh a' ghrian gu bhith na h-àirde. Thòisich aodach na Sgeilbheig a' losgadh 's a' lasradh, agus stad iad le chèile, agus leig iad às. Dh'fhalbh am fear molach a-steach air ais dhan choille le ceum slaodach, 's cha do sheall às a dhèidh. Leum an Sgeilbheag a-mach a mheadhan sruthain agus dh'fhuirich e ann an sin gus na sguir am bùrn a ghoil timcheall air.

Mu dheireadh thall dh'fhalbh an teas às an Sgeilbheag, às dèidh dha e fhèin a bhogadh dhà no trì thurais. Agus laigh e an uair sin 's a cheann air na brògan donna, agus thuit e ann an clò cadail às nach do dhùisg e fad trì latha.

Nuair a dhùisg e, cha robh mìr dhe chorp nach robh goirt, cràidht'. Nuair a tharraingeadh e anail, bha asnaichean ciùrrt'. Nuair a chaidh e air a chasan, bu ghann gum b' urra dha ceum a thoirt.

A' Tilleadh

An uair nach robh an Sgeilbheag a' brath air a thighinn mar a
gheall, agus là is bliadhn' air gabhail seachad, agus ciaradh an
fheasgair ann, thuit dorchadas mòr air an rìgh. Thug e dheth a
chrùn òir. Chuir e luath air a cheann. Shuidh e sìos san ùir. Ann
am fìor shìoladh an latha, ge-tà, is rionnag an fheasgair rèidh
na h-àite, nach do dh'èigh fear-faire a-nuas gu robh cuideigin a'
tighinn air fàire.

Leum an rìgh air muin eich 's a-mach leis aig peilear a bheath'.
Nuair a chunnaic e an Sgeilbheag, a bha a' coiseachd cho cuagach
na sheann bhrògan donna, bhrod e 'n t-each is rinn e air. Rug e
air san dol-seachad is tharraing e suas e air a bheulaibh air muin
an eich mhòir, 's cha b' e stararaich gu siud e, aig crùidhean an
eich ud a' bragail a-steach seachad thar uachdar na drochaid
daraich. 'S cha b' e greadhnachas is toileachas e gu siud ann am
pàileas an rìgh, is uile mun cuairt dheth a-mach gu crìochan
iomallach na rìoghachd.

Ghairmeadh cuirm a leanadh fad ceala-deug, 's chaidh
cuireadh fialaidh a-mach gu ìslean is uaislean far-aon.
Chruinnich iad ann às gach bad is oisean is oir.

Chraobh-sgaoil an naidheachd is shruth iad ann o na ceithir
àirdean. A' marcachd gu stàiteil a chum na pàileis, thàinig corra
thighearna àrd-urramach is dos de dh'itean a' crathadh ann am
bàrr a chlogaid. Le a chuid eachraidh is le a chuid laochraidh,
foirm na shiubhal is smàb na ghnùis.

Dànairean is duanairean thàinig ann, cruitearan is clàr-sairean, seinneadairean is dannsairean, sàr-bhàird is rabhdair-ean, is leumadairean a leumadh tro chearcaill is clagan beaga ceangailt rin adhbrannan is ri caol an dùirn. Mèirlich is misgearan, breugadairean gu 'n cùl, a h-uile mac màthar ac', cam no dìreach an ceum. Cuid ac' a reiceadh an seanmhair air gròt. Flioncaidhean dhen a h-uile gnàth is gnè, agus floozies dhen a h-uile seòrs' – nochd iad ann an siud nan caochladh staid. Chruinnich iad ann, sean is òg, slàn is euslan, 's cha d' rinneadh dìmeas orra, no leth-bhreith, aon seach aon. Dh'èalaidh iad an sligh' ann, nam b' urrainn idir, muinntir na h-eucail is muinntir na h-earracais.

Thàinig iad ann mar a b' fheàrr a b' urrainn, creuchdaich is leòntaich is claonairean cama, daoine beag bragail le searragan fada, daoine mòr solt le ceumannan beaga, daoine meadhanach le casan dabhdach, crioplaich air dhroch dhòigh, craidhnich air dhroch dhreach, buaireadairean is buamastairean, taistealaich bhochda gun cheann-uidhe, dìlleachdain neo-chùbhraidh nach fhaca dachaigh, bodaich throma nan dithisean 's nan triùirean, ramalairean riasach na sitige farsaing, coin allabain nach d' fhuair slìobadh. Agus mnathan bòidheach nach ceannaicheadh an t-òr, agus laoich a dhannsadh leotha bho mhoch gu dubh 's fad là is oidhch' gus an gairmeadh coileach – thàinig iad uile is shuidh iad mu bhòrd.

Chaidh casgradh de laoigh 's de mhuilt 's de mhucan na bha na sgrios, 's de chearcan 's de choilich 's de thunnagan 's de gheòidh, 's cha robh cùmhnadh air beòir làidir is fìon dearg ri òl.

Chan fhacas a leithid bho nach robh fhios cuin, cha chualas a leithid bho nach robh crìoch an là cuin, agus cha mhòr nach e sin crìoch an t-seanchais.

Ach a-mhàin seo, mus tèid na cait a dhanns agus sinne mu thàmh: gun do ionndrain an Sgeilbheag na brògan donna, ann am meadhan na cuirm.

Cha robh for air na seann bhrògan donna thall no bhos, gu h-àrd no gu h-iarach.

Iadsan a bh' air fàs beagan ro bheag dha.

A bha gus tolladh, a bha robach, a bha salach, a ghiùlain 's a stiùir e tro iomadach gàbhadh – ghoid iad air falbh ann an glasadh na maidne nuair a bha daoine nan slèibhtrich is srann aca, is aislingean trioblaideach a' buaireadh an spioraid 's a' cur car nan aodann.

'S chan fhac' an Sgeilbheag iad a-chaoidh tuilleadh. Agus sin agad a bhonn 's a bhàrr.

Turas Thormoid a Sgoil Steòrnabhaigh

Cha robh Tormod agus sgoil Steòrnabhaigh a' dol a thighinn air a chèile co-dhiù. Bha fios air a sin.

Bha fios aig a h-uile duin' air aig an robh làmh sa ghnothaich. 'S an dèidh sin, chaidh e innt'. Bha fios aig Coinneach bràthair-athar gum biodh ceannach ac' air. Bha a sheanair dhen aon bheachd. Bha Sport deimhinnt' nach robh feum sam bith dha a dhol innt'. Agus bha làn-fhios aig a' mha'-sgoile bhochd air a sin cuideachd, ann an smior a chnàmhan.

Fàth na duilichinn, 's e gun tàinig litir thuige à Dingwall. Cha robh sin na annas, ach cho luath 's a dh'fhosgail e 'n tè sa . . . O . . . dh'aithnich e nach robh i seo gu bhanais.

"Oh, dear me . . .," ars esan, agus "Daingead air a h-uile mac màthar agaibh."

Dear Mr Morrison, ars iadsan ris,

We have received several letters from the Ness area, some signed and some not, apprising us of Norman MacLeod's protracted absence from both home and school.

If this be true, we need hardly remind you that it is in breach of clear undertakings given by yourself and by the boy's family, and contrary to binding agreements entered into in respect of the boy's schooling and tutoring.

We, for our part, were we to stand idly by, would be delinquent in our duties under the law.

We therefore require you, at your very earliest convenience, to give us fresh assurances regarding this very serious matter.

Otherwise, further action will have to be contemplated.

Yours faithfully,
Robert Colquhoun

"O mo chreach-s'."

Mhill seo a' mhadainn air. Bha e greannach ris na tidsearan. Agus mu mheadhan-latha bha a cheann cho goirt ri goirt, dìreach gus sgàineadh. Dh'fhalbh e dha chois, a-mach gu taigh 'Ain Tuirc, cho luath 's a sgaoil an sgoil.

"Càit a bheil e?" ars esan.

"Tha ann an Èirinn," arsa seanair a' bhalaich, bho chùl cunntair na bùth. "Fhuair mi litir bhuaithe 'n-dè – à County Clare. Sgrìobh e tèile gu sheanmhair."

"Seadh, ma-tha," arsa Morrison, "fhuair mise litir mi fhìn an-diugh, à Dingwall." Agus shìn e null i chon a' bhodaich.

"Chan eil fhios dè 's fheàrr a dhèanamh," ars Iain Tuirc, 's e a' toirt dheth a speuclairean, 's e air an litir a leughadh.

"Tha gu feum e thighinn dhachaigh," arsa Morrison.

"Easier said than done," ars am fear eile.

"Càit a bheil an litir aige?" ars am ma'-sgoile. "'Eil address oirr'?"

"Tha address oirr'," ars Iain Tuirc, "tha i agam ann an seo."

Thòisich am ma'-sgoile ga leughadh.

My dear grandfather, arsa Tormod,

The weather here is as broken as it is at home, but what of that. The singing, the fiddle-playing and the piping in these parts are out of this world. I've already made several changes to my bowing and fingering.

I wish you could hear Willie Clancy playing the Irish pipes. I've invited him up but he'll never come.

Seamus Ennis was here for all of two weeks. We were sorry to see him go. We've been up till all hours every night. You've never heard the like: the rafters themselves – yes, and the slates – were jigging and lifting.

With a bit of give-and-take the small divide between our two languages is easily bridged.

Can ri Coinneach gu bheil mi duilich nach d' fhuair mi air a chuideachadh leis a' mhòine, ach gun cuir mi às mo dhèidh uiread ri dithis mhath sam bith nuair a thig sinn gu togail a' bhuntàt'.

Nach math gu bheil an teine-dè air sìoladh sìos. Tha thu air do chasan fad' an latha. Rinn mi stòl àrd dhut 's chan eil thu ga chleachdadh.

Please write to this address with all the news. I look forward to that.

Your loving grandson,
Norman

"That's all very fine and good," ars am ma'-sgoile, "but we're in a pickle here."

"I know that," arsa fear na bùtha, "it's no joke."

"Bliadhna gu leth eile 's bidh e mach à sgoil," arsa Morrison. "Bidh e far mo làmhan. Sin an latha a dhannsas mis' agus a ruidhleas mi."

"Sgrìobhaidh mi thuige a-nochd," ars Iain Tuirc.

"Sgrìobh thusa thuige nuair a thogras tu fhèin sin, and at your leisure," arsa Morrison, "ach 's e tha dol thuige 'n-diugh ach teileagram."

"'S e sin a b' iomchaidh'," ars Iain.

"Bho dh'fhalbh Ailig John an Rudain a-null a Ruisia chan eil lorg agams' air duin' ann an seo a bheir sgoil dha."

"O, rinn Ailig John glè mhath ris," ars Iain.

"Tha mise sgìth, Iain. Tha mo cheann cho goirt. Dheoc e asamsa bho chionn fhada na bh' agam ri thoirt dha."

"Chan eil aon choire ri fhaighinn dhut," ars Iain. "Chan aithne dhuinne duin' eile bhiodh air giùlain leis."

"'S ann tha mise smaoineachadh gum biodh e na b' fheàrr dheth a dhol a sgoil Steòrnabhaigh greiseag," arsa Morrison. "Bruidhnidh mi fhìn riutha."

"O, bhoill . . . chan eil fhios againne . . ." ars Iain.

"'Eil thu faicinn an rud a th' agam. Greiseag bheag ann an Steòrnabhagh, 's dh'fhaodadh e togail na siùil às le làn a dhùirn a Highers."

"Bejasus, if there isn't a telegram for you," arsa Willie Clancy ri Tormod. "I didn't want to be the one to tell you."

Leugh Tormod a-mach i: "Come home. Things critical with Dingwall. A. Morrison."

Nuair a bhuannaich Tormod dhachaigh, thuirt e riutha gum feuchadh e sgoil Steòrnabhaigh airson seachdain.

"Airson seachdain!" ars Eirig, a bha pòst' aig Coinneach bràthair-athar.

"Seadh," arsa Tormod.

Bha e a' loidseadh còmhla ri Mairead Uilleim air Keith Street, an teis-meadhan a' bhaile. Bha Mairead Uilleim a' cumail chearcan 's a' cur bhuntàt' ann an sin, air cùl an taigh'.

Bha bùithtean beaga sgapte suas tron bhaile an uair ud. Gheibheadh e ri cheannachd ann am bùth bheag, tràth dhen a' mhadainn, lofaichean is rolaichean ùra, cùbhraidh 'son a bhracaist.

Air Keith Street, agus mun cuairt dhith, bha fàileadh a' ghuail agus fàileadh na mònach aige còmhla na chuinnleanan. Bha fàileadh na mara a' tighinn a-steach na sheòmar-cadail.

Bha Angaidh Bramaidh fhathast a' falbh le làraidh bheag, 's ag èigheachd air feadh a' bhaile.

Cha robh Tocasaid 'Ain Tuirc glè fhada ann an sgoil Steòrnabhaigh nuair a thug e 'n aire gu robh corra shean chrabhcan a' teagasg innt' a bh' air a bhith san eilean bho linn crochadh nan con. Thug e 'n aire gu robh cuid dhe na sean laoich sin a' dèanamh bloighean millidh air balaich 's air clann-nighean. Cha b' e tàir is èigheachd a-mhàin, agus stràiceadh le cuip leathair, ach brùidealachd samhail droch chrathadh, tarraing air falt is sgal mun aodann. Leithid na conbhaireachd sa cha robh e air fhaicinn.

Shìos am baile, air Disathairn', chìte fear dhe na fir sin, every inch the Highland gentleman, a' togail ad ri boireannaich san dol seachad. Air madainn Didòmhnaich, chìte fear eile dhiubh, sgeadaicht' ann am feobhladh, a' fàilteachadh dhaoine ann an lobaidh St Columba.

Bha e a' cur iongantas mòr nan iongantas air Tocasaid 'Ain Tuirc gu robh balaich thapaidh à Leòdhas a' fuireach nan suidhe agus sean bhlaigeard ag èigheachd os an cionn is roill ri bhus.

Fad nan trì latha a chaith Tormod ann an sgoil Steòrnabhaigh cha robh ach aon mhadainn a chòrd ris. Chaith e a' mhadainn sin còmhla ris an fhear a bh' air ceann na sgoile – Addison an t-ainm a bh' air – agus iad a' geop ri chèile ann an Laideann 's ann an Greugais, agus a-mach air Gottfried Wilhelm Leibniz agus air an differential calculus.

Aon ghreiseag a thug Tormod sa chlas Ghàidhlig. Agus b' e sin greiseag na mallachd. Thàinig a chèilidh ann an Sgoil mhòr 'IcNeacail gu ceann.

Dh'fhalbh an ceatharnach braisich' a-mach. Dh'fhàg e iad a' leughadh 'Duatharachd na Mara', rud nach eil furast' a leughadh. Seòrsa de shearmon. Ruith Tormod air bho cheann gu ceann. Ruith e troimhe, a dhuine, mar a thèid cnap bùirn tro shaidhbhear.

Thòisich e an uair sin a' còmhradh 's a' dibhearsain ris an nighean a bh' air a chùlaibh. A bha mar an t-òr, mas urrainnear sin a ràdh mu dheidhinn tè air an robh falt cho dubh.

Dh'fhairbhein Tormod an clas a' dol sàmhach. Thionndaidh e.

Bha 'n tidsear air tilleadh, 's e dèanamh air, a' dol ga bhualadh mu thaobh a' chinn.

Leag Tormod a shùil air. Chaidh e air a chasan.

"A Mhòr-Thìrich uasail," arsa Tocasaid 'Ain Tuirc, "cuir làmh annams', agus tomhaisidh tu fad do dhroma air an làr."

Chaidh an duine sin às a' Ghearrloch, ma-tha, cho bàn ris a' chailc air an robh e eòlach. Chan fhaigheadh e air còmhradh.

Bha e a' spleuchdadh ann an sin air beulaibh Thormoid gus mu dheireadh na dh'fhalbh e mach.

A rèir 's mar a chuala Dòmhnall Iain, nochd e an uair sin san staff-room agus cha robh càil dhe na bha e ag ràdh a' dèanamh cus cèill.

Nuair a thill e air ais, ge-tà, bha e loma-làn feirg agus taosgach de theine lasrach. "Get out!" dh'èigh e ri Tormod. "Get out of my class and get out of my school!"

"Yes, but not yet," arsa Tormod, agus lìbhrig e pìos bàrdachd. "Thu fhèin 's do shean rosg," ars esan, "cha mhò leinn e na sean trosg.

"A shean bhodaich-truisg,
cha shnàmh thu tron uisg'.

Cha shnàmh thu null dhachaigh,
chan fhalbh thu, cha rach thu.

Bidh tu seo anns an eilean s',
gar cur-ne fo pheanas.

'S mòr am peacadh a rinn sinn
mus deach do chorraich gu nàimhdeas.

Ach fòghnaidh na dh'fhòghnas
dhe do chab 's dhe do chòmhradh.

Fhuair thu d' aoireadh an-diugh,
's fhuair thu fhèin do latha-dubh."

Air a leithid a lùth-chleas cha robh iad air turchairt.

Dh'fhalbh an duine sin a-mach a-rithist, a dh'iarraidh cuideachaidh.

Thòisich tè dhen a' chlann-nighean a' rànail, 's cha sguireadh i. Mary Margaret MacAulay – a bha rudeigin diadhaidh. "You shouldn't have done that," thòisich i ag ràdh. "That was very wrong, very, very wrong."

Nise, mar bu tric', 's e a bh' ann an Tormod ach balach sìtheil. Cha b' aon uair a chunnacas e a' strìochdadh 's a' teiche 's a' coiseachd air falbh.

Ach cha b' e sin a rinn e dhen turas sa.

Leig e beannachd le Mairead Uilleim, 's chaidh e null dhachaigh a Nis air bus nan seachd.

"Chan eil droch fheum ort," arsa Coinneach ris, "tha 'n t-uabhas ri dhèanamh."

An Sleapan

Mus robh na taighean a-riamh ann, bha Clach an Truiseil ann an siud na stob, 's a ceann dhan adhar. Mus do nochd birlinn à Tìr Lochlainn, bha i na seasamh air taobh siar Eilean Leòdhais. Mus robh a' Ghàidhlig ann, bha i na spiris aig an druid. Agus mus robh soisgeul fhèin ann, bha i na spreod glas ann an siud, 's an crotal a' tàrmachadh air a slios.

Tha a' chuid as moth' againn a' tadhal oirr' uair no uaireigin, 's ga cuartachadh 's ga tomhais le ar sùil, 's a' dol air ar slighe. Bidh na Goill a' tighinn cuideachd, 's a' dèanamh ùmhlachd.

Aig Freastal tha fios cò iad a chuir na seasamh i, is cuin a bh' ann. Agus dè an draoidheachd a mhisnich 's a neartaich fuil is fèith gus seo a thoirt gu buil.

Tha mi creids g' eil suas ri fichead troigh innt'. Cia mheud troigh tha shìos fon talamh cha lùiginn a ràdh, ach 's iongantach mura h-eil ceithir troighean eile co-dhiù. Oir, a ghràidh ort, tha i taisealach, tomadach, trom, 's tha leithid a ghairbhead ag iarraidh bonn. Oir tha a gualainn bho riamh dhan adhar gun atharrachadh. Cha tàinig gothadh innt' taobh seach taobh. Ach sheas i mar a bha tro na linntean, ginealach bho ghinealach, 's cha do charaich.

Cha do chaith na tuiltean i fad dà mhìle bliadhna, cha do bhris an dealanaich a cnuacan. Thug i dùbhlan dhan ghaoith a tuath nuair a thigeadh i le flin, 's cha d' fhuair an reothadh air a sgàineadh. Ach bha i calma, bha i neo-ghluasadach. Cèile cha robh aic'. A samhail chan eil idir ann: clach-cuimhne nan athraichean air nach eil sgeul, 's a tha sìnte chan eil fhios càit, agus sgapte mu ghrunnd na fairge.

Nis, cha chuala mis', agus 's math leam nach cuala, ma chuireadh teine mu a bonn, no spaid no geamhlag dhalma sìos dhan talamh leth rithe, no àradh mòr suas air a bràghad. Leigeadh dhith. Agus an t-urram sin air a thoirt dhi a shùilicheadh bodach no cailleach sam bith a fhuair saoghal fada 's a tha làn de bhliadhnaibh. Ach dìreach gum biodh clann a' cluich 's a' riagail timcheall oirr', an starrag a' laighe oirr', agus srainnsearan a' tighinn a shealltainn oirr' às a h-uile ceàrnaidh dhen t-saoghal. 'S ma bha grioban balaich corr' uair a' caitheamh nan clach oirr', dè 'n diofar.

Cha chluinn thu mòran dhaoin' a-nis a' bruidhinn air Iain Thormoid Dhòmh' Ruaidh – an Sleapan – ged nach eil cho fada sin bho bhàsaich e. 'S ann a shaoileas tu nach robh e riamh ann.

Cuige a thugadh 'An Sleapan' air chan urra dhòmhs' a ràdh le cinnt. A rèir teisteanas a mhàthar, b' ann ri linn dha sleapan a chur a-steach na chluais air Class Two. Chuireadh air tòir na nurs, 's dh'fhalbhadh dhachaigh leis is ràn goirt aige.

Ach . . . tha . . . bha Katie Mary a phiuthar deimhinnte gur ise a thug 'An Sleapan' air, chionn 's nach robh air de dh'fheòil na b' fhiach bruidhinn air. 'Cho caol ri sleapan' – sin facal nach cluinn thu 'n-diugh. Ach an uair ud bha sglèat is sleapan aig a h-uile pàist-sgoile.

Bha taigh Thormoid Dhòmh' Ruaidh meadhanach faisg air a' chlaich, agus na èirigh suas bheireadh an Sleapan corra shùil oirre, ceart gu leòr; bha e mothachail oirr', ach eil fhios agad . . . tha . . . 's e rud neònach a tha sa chleachdadh: . . . cha bhiodh e – seadh, cha bhiodh e ga toirt fa-near, mar a chanadh tu . . . Tha 'n iarmailt àrd fhèin againn ga cur an neo-phrìs, agus grìogag na grèin' air uachdar na mara, a bhiodh nam mìorbhail leis an dall nam faicte leis iad.

A thaobh Iain Thormoid Dhòmh' Ruaidh a-nis, tha – mas e 'n fhìrinn a tha sibh 'g iarraidh, tha i uaireannan searbh. Na bhalach, bha e air a mheas na mhiaraid. Bha e car lìogach agus car cùileach. Bha sradag an droch nàdair ann. Bha e làn ghearanan. Cha robh e math dha phiuthar. Cha robh e aoigheil. Cha robh e toilicht no dibhearsaineach. Cha thogadh e do chridhe. Cha do shuath e mòran a-riamh ann an clann-nighean, no iadsan cus ris. 'S ann a gheibheadh tu e fhèin rudeigin meanbh, foidhne, na bhodhaig 's na bhriathran. Cha tigeadh e ga do chuideachadh ged a bhiodh tu nad èiginn. Na leanabh, is gu h-àraid na leth-bhalach – seadh, 's bho thàinig e gu ìre: cò air a tha mi mach – dheigheadh e ann an corraich airson rud glè shuarach. Can gun deigheadh bus a bhròig an sàs ann an rudeigin 's gun tuisleadh e. Can gun deigheadh a chas cam: leigeadh e às an uair sin an fheadhainn a b' eagalaich': "An diabhal mòr na bids na galla."

'S nam biodh poll-mònach duilich a rùsgadh: "Iutharn ort!" dh'èigheadh e, agus ghabhadh e dha na bruthaichean is dha na druimeannan leis an spaid is shadadh e bhuaithe an uair sin i le uile lùths. Neo nam faigheadh Katie Mary, a bha dà bhliadhna na bu shine na e, ugh na bu mhotha na 'm fear aigesan, bha seo a' cur air. Neo gu faigheadh esan sgadan le mealg is ise sgadan le iuchair . . . Bha rudan an còmhnaidh a' dol na aghaidh. Bha Tìm is Freastal ag obair air, 's a' feuchainn ri sgìthseachadh agus dìreach luidean a dhèanamh dheth, 's a h-uile càil cho diabhaltaidh drobast a h-uile latha.

Cha b' ann mu dheidhinn an t-Sleapain a rinn Dòmhnall Iain

an Insurance am pìos bàrdachd 'Trioblaidean Beaga Mhic an Duine' ach mu dheidhinn fhèin. Ach gu dearbha fhèin 's i tha ga fhreagairt. Agus gu bràth sìorraidh buan cha deigheadh agams' air a chur na b' fheàrr. "O," ars am bàrd,

"Nuair a chacas faoileag bho gu h-àrd ort,
gad ungadh le a cuid sgàirde,
nas aotruime buileach air sgiath i,
h-uile h-it' dhith gu cladach ag iarraidh;
thus', a spàgaire bhochd gun iùl,
a' buannachd dhachaigh tro na sràidean cùil.

Nuair thig tachais eadar do mhanachanan,
's tu às ùr a-muigh còmhla ri banacharaid,
's rud eile air tachairt mar-tha dhut,
nuair a thig aon rud, thig dà rud:
an-diugh fhèin bhris barrall do bhròige,
chaidh e na chop eadar do dhà chròige.

Nuair thèid cuileag dhan lemonade ort,
's e eighty degrees in the shade, 's dòch',
's tu dìreach air an tiomalair a lìonadh,
tha rud a th' ann leat na chùis-iongnaidh,
tu leis a' phathadh fèir gu tràsgadh,
nach smaoinich thu fhèin an-dràsta.

Nuair thèid bioran a-steach dhan òrdaig agad,
is still às a' pheile dhan bhòtainn agad,
can an uair sin na guidheachan àbhaisteach,

's feadhainn bhlasta nach cuala do mhàthair agad,
's mar thèid cù brònach fon bhòrd air falach,
caidil an latha is dùisg ri gealach."

"O, dè nì mi ribh!" dh'èigheadh bantrach Thormoid Dhòmh' Ruaidh ris an dithis chlainne, 's iad a' sgròbadh 's a' brodadh a chèile gun sgur. "O, cha bhiodh sibh mar a tha sibh nam biodh ur h-athair beò – gu dearbha cha bhitheadh."

Agus thigeadh i a-mach leis na h-aon sheanfhacail a chleachd a bhith aigesan, leis na h-aon sheanchasan 's leis na h-aon rabhaidhean. A chleachd a bhith dol air an nearbh aic' uaireigin, gu ìre 's gun canadh i, "Ma chluinneas mi siud aige aon uair eile, 's iongantach mura leig mi biast mhòr de sgreuch."

"Tearc an neach am measg an t-sluaigh," chanadh i, "a gheibh buaidh air fhèin." "Buail do chuilean – 's ann thugad a thig e." "'S coma leis a' ghaol càit an tuit e." Agus "'S math am brochan 's a bhith staigh."

"Dè tha dol a thachairt dhuibh nuair nach bi mis' idir agaibh – bidh sibh mar a bha peathraichean Shanndabhaig." Agus dh'innseadh i às ùr an sgeulachd a bhiodh aige fhèin.

"San linn mu dheireadh, nuair a bha a' Bheurla na crioplach a' falbh air leth-chois feadh nan Eileanan an Iar, 's a' Ghàidhlig fhathast a' ruith 's a' leum fad air thoiseach oirr', bha dithis pheathraichean a' fuireach còmhla ann an Sanndabhaig.

"Cha robh iad rèidh," arsa bantrach Thormoid Dhòmh' Ruaidh, "'s a rèir colais cha deigheadh ac' a-chaoidh air a bhith rèidh. Mar a bha na bliadhnachan a' gabhail seachad, cha b' ann a' tighinn a bha 'm piseach.

"Mu dheireadh cha deigheadh ac' air a bhith mu bhrot na

Sàboind gun a dhol an ceigeans. Fhad 's a bhiodh am brot air an teine, bhiodh sreang aig an dàrna tè mu a caob feòla fhèin, agus e ceangailt aice ri pòlais na praise. Dh'fhaodadh i an uair sin an fheòil aice fhèin a dhraghadh a-mach às a' phrais 's a chur air truinnsear uair sam bith a thogradh i.

"Bha bràthair dhaibh a' fuireach shìos pìos an rathad. Thigeadh e steach a chèilidh 's bhiodh e air a ghoirt-mhaslachadh. 'O, a chlann-nighean,' ars esan, 'mas ann mar seo a tha sibh air thaigheadas, 's e dealachadh as fheudar.'

"Ars esan ris fhèin, 'Tha 'n t-òrd-chlach agamsa san t-sabhal air bàrr a' bhalla, 's clòimh-liath air. Agus tha a cheart cho math dhòmhs' a ghlanadh agus toirt gu clachaireachd.'

"A-mach leis. Thug e sùil timcheall, 's mus canadh tu 'Nebuchad-nèsar Rìgh Bhàbiloin', bha mo laochan air taghadh làrach a bha còmhnard, cubhaidh. Mus robh a' ghealach ùr air fàs cruinn 's air seacadh, bha 'n dàrna tè dhe na peathraichean ann am bothan beag leatha fhèin.

"Ged a bha 'm bothan air a dheagh ghabhail uime, 's an tughadh cho brèagha 's cho buidhe 's air a deagh ghleidheadh aig acraichean is sìoman, agus e cho seasgair air a leth a-staigh 's a dh'iarradh duine, an dèidh sin bha i ann na h-aonrachd, gun anail bheò aic' ris an dèanadh i facal dhen chòmhradh moch no anmoch – agus biodh sin na shùileachan dhuibhse," chanadh i, "agus cuimhnichibh air."

Bha taigh Thormoid Dhòmh' Ruaidh air sliomas – mar a bha iomadach taigh a thuilleadh air. Gus nach biodh am bòrd-bìdh air siobhadh, bha dà sgiofan maide aca a-staigh fo chasan ceann shìos a' bhùird. Mura biodh sin, bhiodh an teatha cam sa chopan,

's an lit cam sa bhobhla. 'S bhiodh am brot a' sgaoileadh a-mach
gu oir an truinnsear, rud a ghoideadh a shonas 's a shaorsainn
bho dhuine sam bith, acras ann neo às.

A h-uile turas a dheigheadh fear dhe na maidean sin a-mach
às àit', bhiodh am bòrd cho corrach, 's a h-uile duine bha uime
air an glacadh le frionas.

"An diabhal air a' ghràin bùird sin," chanadh Iain.

"Ist, a-nis," chanadh a mhàthair, 's bheireadh Katie Mary droch
shùil air an t-Sleapan.

"An àite nam balgairean rudan sin," ars esan, "nach biodh e
fada na b' fheàrr nan gearrainn-sa pìos leis an t-sàbh bho chasan
ceann shuas a' bhùird."

"O . . . chan eil fhios . . ." ars a mhàthair.

"A mhàthair, na leig dha," dh'àithn Katie Mary.

Ach mu dheireadh thug a' chailleach a h-aont'. "Siuthad ma-
tha a-rèist," ars is'.

Chaidh na boireannaich dhan choinneimh-sheachdonach,
's mus canadh tu 'Dara Litir an Abstoil Phòil a chum nan
Corintianach,' bha 'm bòrd aig an do rinneadh iomadach
altachadh aig Iain air a dhruim-dìreach, agus ghabh an sàr gu
saorsainneachd. Bhiodh e 'n uair ud còig-deug no sia-deug. Seo
aon àm dhe bheath', co-dhiù, nuair a bha ulpaireachd is aineolas,
dearrais is droch nàdar ag obrachadh ann gu mì-shealbh. B' ann
mun àm s' a chaidh e a dhraghadh cuiseag a bha fàs shuas air
tobht' an t-sabhail. Chaidh e an sàs innt', 's cha deach leis.

"An ann ag ràdh tha thu nach tig thu?" ars' esan ris a' chuiseig,
's an fhuil a' dol na cheann.

Bhris a' chuiseag shìos mu meadhan. Dh'fhalbh esan an
comhair a chùil agus thuit e bhon tobht'. 'S ann a b' iongantach

nach deach e bho na h-amhach. Fhuair e sgleog agus b' fheudar a chur dhan an leabaidh.

Bha 'm bòrd 's a chasan a mhullach an taighe. Cha robh guth air tomhais is peansail, ach rinn e air casan a' bhùird le sàbh busach is cabhaig. Mus d' fhuair e 'm bòrd còmhnard, cha mhòr nuair a shuidheadh tu aige gu faigheadh tu do dhà shliasaid a-steach fodha.

"O, thia . . . a mhàthair . . . seall air a' bhòrd," arsa Katie Mary, 's i gus a dhol a rànail.

"Mo chreach s', a bhalaich, dè rinn thu," dh'èigh a mhàthair ris, "agus dè bha na do bheachd co-dhiù?

"Co-dhiù," arsa bantrach Thormoid Dhòmh' Ruaidh, "'s ann a bha 'n òinseach ann a leig leat idir!"

Bliadhnachan às a dhèidh, nuair a dheigheadh Katie Mary na deanntaig ris, seo an seòrsa rud air am biodh i cuimhneachadh. 'S cha toireadh esan mathanas dhìse, 's nach do rinn i cobhair air fiù 's aon uair aig an sgoil, nuair a bhiodh am Plugan agus Doilidh a' Chandal a' dèanamh air a bheath'.

Bheireadh Doilidh a' Chandal an sgillig às a' phòcaid aige. Neo thigeadh e fhèin leatha gun iarraidh, crith na làimh 's i aige ga h-ìobradh dhaibh, ach am faigheadh e fois. Tighinn às an sgoil, latha, 's iad a' siapadh suas romhp', thug iad air a dhol a bhùth Màiri agus bucas-mhaids a cheannachd leis an dà sgillig a bh' aige na phòcaid. Nuair a thill e leotha, las am Plugan fear dhe na maidsichean 's chuir e 'm bucas gu lèir na theine, 's thilg e a dhìg an rathaid iad.

Latha brèagha a bh' ann. Bha na dìtheanan a' tachdadh nan claisean, agus shuas an àiteigin sna nèamhan bha 'n topag a' dòrtadh a-mach na bha na cridhe.

Bidh balaich nam balaich. Dòrn ri bus. Sùil na h-iolair thar a còir fèin. Ach 's ann a bha Iain, mar gum b' eadh, na aonar san Fhaoilleach bhlian, mar chuiseag air chruaidh-chrannadh.

Bliadhnachan às a dhèidh, bhuaileadh Iain a cheann le bhois, is chanadh e ris fhèin, "O, carson a chaidh mi ann dhaibh! Agus O, carson nach robh mi foighidneach ris a' bhòrd!" Agus nam biodh reubadh aodaich air a bhith san fhasan, agus saic-aodach is luaithre, chan eil mis' ag ràdha . . .

Nuair a thàinig Cogadh Hitler, cha robh Iain an aois. Ach ann an 1944 fhuair e cèis ruadh sa phost. Sheall e rithe 's shad e dhan teine i. Fhuair e tèile 's chunnaic a mhàthair i.

Chaidh e gu *Physical* thall ann am Masonic Hall Steòrnabhaigh. Cha robh 'n doctair buileach cinnteach às. 'S ann air fìor èiginn a rinn an Sleapan an gnothaich – gu h-àraid le fhradharc. Thuirt e gu feuchadh e 'n Nèibhidh.

Cha robh e riamh air a bhith air falbh. Cha robh e air a bhith ach dà thuras a-muigh air an eathar. Shìos am Portsmouth b' fheudar do dhithis bhalach nan Loch dealachadh bhuaithe, oir bha acasan ri dhol à sin gu Southampton 's gu Devonport. Thrèig an cadal e. Bha e 'g èirigh mar a chaidh e innt', gun a shùil dùnadh. Cha ghleidheadh e biadh air a stamag. Chuir cuideigin leòbag sìos a bhroinn na leap' aige. Dh'fhuaigheil iad cas a bhriogais. Chaidh e tro inntinn mar ghath grèine tro tholl gàrraidh gur h-ann a chaidh a chas sìos eadar aodach agus lìnig na briogais, ged a bha fios is cinnt aige nach gabhadh sin a bhith. Thòisich e a' faicinn aodainn air a' bhalla tron oidhch'. Nuair a dh'fhalbhadh a chom, cha robh e a' cur troimhe ach uisg' is cop. Chaidh a thoirt chon doctair. Bha crith air agus luairean. Cha deach aig' air leughadh mòran sam bith dhe na litrichean a bha shuas air a' bhalla.

Fhuair a mhàthair litir nach robh e idir gu math.

"O," arsa bantrach Thormoid Dhòmh' Ruaidh ri Iain Tom, a bha na èildear san Eaglais Shaor, 's a bha 'n càirdeas dhaibh, "'s iongantach mura h-fheum thu dhol dhòmhs' a Shasainn air a thòir."

"O, ghràidh ort," ars Iain Tom, a bhiodh a-riamh a' toirt cliob dhan t-Sleapan, "na biodh feagal sam bith ort."

Bha an Sleapan na shuidhe na phidseàmas. Cha do charaich e nuair a nochd Iain Tom. "'N tu tha siud, Iain," thuirt e, às dèidh greis. A mhionach a bhruidhinn, 's thàinig e mach air a bheul air dòigh air choreigin.

Nuair a thàinig Leòdhas air fàir' orra, 's iad nan seasamh aig an rèil, chrom an Sleapan a cheann agus bhris air. "Mo chreach-s', O, mo chreach-s'," ars esan.

Agus sin mar a bhris nearbh Iain Thormoid Dhòmh' Ruaidh ri linn a' chogaidh.

"Nach iongantach an rud e, Iain," arsa màthair an t-Sleapain ri Iain Tom, "thusa bhith air chothrom às dèidh leònadh is ciùrradh is clàbar a' Chogaidh Mhòir, agus Iain againne na chonablach airson gun deach e a Shasainn."

Thug e greis mus do rinn e car. Chan fhaigheadh e air cadal. Bha aodainn a' cumhad ris bho na ballachan air feadh na h-oidhch'. Bhruadair e gu robh an Sàtan a' coiseachd air mòinteach Bhuirghe, a' spaidsireachd a-muigh ann an sin air Latha na Sàboind 's e ri feadalaich. Thuirt e ri mhàthair gun deach dà radan seachad air san iodhlainn 's gu robh iad a' cur nam beillean ris.

Nan itheadh e dad sam bith, thigeadh losgadh-bràghad teth, teth air.

Bha an Sleapan a-riamh mocheireach, 's bha e fhathast sin. Ach ged a dh'èireadh e, cha robh mòran feum ann. Bha aig Katie Mary ri dhol a chosnadh nan trì tairsgeirean a bha dhìth orr'. Nuair a fhuair e na b' fheàrr 's a chaidh beagan bhliadhnachan thairis, bhruidhneadh e air àm a' chogaidh, corr uair. 'S dòch' air oidhche Bliadhn' Uir, 's e air a dhòigh. Chanadh e ri fear eigin dhen òigridh, "Nuair a bha mis' an Sasainn, na soithichean a chunna mis' a-mach 's a-steach à Portsmouth 's a' seòladh a-muigh air an Solent." Air neo 's dòch' gun canadh e, "Cha do shaoil mi fhìn mòran de Shasainn."

Agus dh'fhàgadh e fhèin is càch aig a sin e.

Thòisich Katie Mary a' falbh dha na hotels. Thug i greiseagan a' cosnadh ann an Crieff 's ann an Inbhir Nis, ann an Dùn Omhainn agus ann an St Fillans. Bha i air rinn bhioran ach an togadh iad taigh.

Chomhairlich Iain Tom dhàsan beart fhaighinn. "Gar an dèanadh tu," ars esan, "ach clò san t-seachdain, no clò gu leth."

Chrath an Sleapan a cheann.

"O, bha do shinn-seanmhair air taobh d' athar a' faicinn rudan," ars a mhàthair, 's i a' còmhradh rithe fhèin. "An rud a bh' aices' mar ghibht, chaidh e dhutsa na thinneas."

Chitheadh i giùlain ann an eadar-sholas an fheasgair. Nuair a bhiodh a' ghealach air cnàmh, 's i na sean èibhleag os cionn nan cnoc, bheireadh i fa-near tamhasg a' leantainn sean rathad.

Chaidh Dòmhnall Ruadh a mac suas thuice le copan teath' a' mhadainn a bha seo. "O," arsa ise ris, "tha cuideigin a' dol a bhàsachadh."

"Faodaidh tu bhith cinnteach," arsa Dòmhnall, dha robh a fhreagairt faisg.

"Agus, a ghràidh ort," ars is', "cha b' e mis' is mo leithid a bhathas a' caoidh. Ach 's e a bha seo ach gal goirt agus gal cruaidh."

Trì latha na dhèidh sin, neo 's dòcha ceithir, nighean òg Sheumais, a bha cho brèagha ri ubhal, bhàsaich i na cadal. Stad a h-anail. Shìolaidh an dath às a gruaidh.

Bha bràthair-athar aig an t-Sleapan ann an Canada – Calum Beag – agus ma bha duin' eile na b' eirmsich' dhe na sheòl còmhla ris air a' *Mhàrloch*, cha chuala sinne. Agus ma bha duin' air a' *Mhetagama* a bha cho athairneil ri Calum Beag Dhòmh' Ruaidh – bhoill, cha deach innse.

Thug e greis ag obair aig tuathanach ann an Saskatchewan agus aig fear eile ann am Manitoba. Thug e 'n aire dè bhiodh a dhìth orr'. Thòisich e a' falbh le seòrsa de bhana mhòr. Cha robh càil nach robh aige. Clobhan, spaidean, miotagan-obrach, faclairean, Bìobaill, adan, stocainnean sìoda, ròp is sìoman, leabhraichean sgoile, bhasailin, siosaran, geamhlagan, gleocaichean – you name it, bha teansa math gum biodh e aigesan air a shadadh am badeigin an cùl na bhana.

Dh'fhosgail e bùth ann a Winnipeg. Bha fear à Nis 's fear à Càrlabhagh ag obair dha ann an sin, balaich nach goideadh fiù 's prìne-banaltraim. Ach 's e bha còrdadh ris fhèin a bhith triall, 's a bhith tadhal air tuathanaich a dh'aithnicheadh e 's air feadhainn nach aithnicheadh.

A' chiad bhriogais le siop a bh' aig an t-Sleapan – seadh, a' chiad bhriogais le siop a chunnaic Bail' an Truiseil, nach ann bho Chalum Beag a thàinig i. A' chàis Ameireaganach a bhiodh ac' aig àm na Nollaig, nach ann bho Chalum Beag a bha i. Ach cha bu dùraig do bhantrach Thormoid airgead iarraidh air, a chuidicheadh le taigh geal. Agus co-dhiù, nach ann a rug an Sleapan air fhèin an latha sa a' miannachadh gum bàsaicheadh Calum Beag agus gu faigheadh iadsan an t-airgead aige.

Bha droch lùigeachdainn aige cuideachd dhan Phlugan, agus dha Doilidh a' Chandal. A bhiodh fhathast a' magadh air san dol seachad 's a' priobadh air.

Thigeadh an droch smuain, gheibheadh e boillsgeadh oirr', 's dheigheadh i às an t-sealladh, mar earball easgainn a' dol fo chlaich. Ri linn dha bhith 'g ionnsachadh na beairt, rinn e 'n t-uabhas de mhionnan. Chailleadh e a mhisneachd is shuidheadh e ann an sin leis fhèin, ùineachan.

Bha e 'son a bhith na bhalach math. Thòisich e ri cromadh a chinn san t-seada-beairt, agus a-staigh air an lot. Uair sam bith a bhiodh a mhàthair tinn, 's esan a dh'fheumadh gabhail an Leabhar. Ged a bhiodh Katie Mary aig baile, cha leughadh i a' Ghàidhlig. Leughadh e earrainn no dhà is salm. Bhiodh e a' dèanamh a ghuth na bu chruaidhe, 's a' cur sèis na ghuth, 's bha e faighinn troimhe mar sin. Ach bhiodh a mhàthair an còmhnaidh a' crìochnachadh le ùrnaigh. Dh'èireadh iad bho na sèithrichean, thionndaidheadh iad 's dheigheadh iad sìos air an glùinean.

Bha aisling aige mun àm sa gu robh e muigh air a' mhòintich agus cò chunnaic e ach an Sàtan na shuidh' air tom. Duine beag grànda le cluasan mòra. Sa mhionaid, leig an Sleapan air gur h-e bh' annsan ach Iain Tom. Choisich e mar a bhiodh Iain a' coiseachd, an aon seòrsa cèim 's a cheann rudeigin gu aon taobh. Rinn e steach gu baile, 's cha do ghabh an Sàtan air leantainn duine leis a' Chruithear.

Bhruadair e gu fac' e eathar a' dèanamh air an tràigh 's gun duine na broinn. Oidhch' eile, chunnaic e dà eala bhàn bhòidheach a' tuiteam marbh às an adhar 's a' toirt clab mun talamh. 'S an ath-oidhch' bhruadair e gu robh am bogha-froise a bha riamh na shòlas dha ri briseadh 's a' tuiteam na phìosan. Chunnaic e nach robh ann ach cailc is pàipear. Seo an tè a b' oillteil' leis, oir bha 'n cùmhnant brist' a rinn Dia ri clann nan daoin' às dèidh na Dìle. Agus 's ann às dèidh seo, uaireigin, a rinn an Sleapan an aon bhàrdachd a rinn e na bheath'. Cha do sgrìobh e idir i. 'S ann a bhiodh e ga cantainn ris fhèin, seòrsa de chrònan:

"*Tha dorchadas mòr air mo chridhe,*
dorchadas nach tog air falbh,
tha dorchadas air mo chridhe
nach tog air falbh.

Tha dorchadas mòr air mo chridhe,
dorchadas nach tog air falbh,
tha dorchadas mòr air mo chridhe
a thàinig 's a dh'fhuirich gun m' fhaighneachd."

Mu dheireadh chaidh e far an robh Iain Tom, a bha 'n càirdeas dha 's a bhiodh a' gearradh fhuilt, agus thaom e mach ris na bh' air inntinn. Chuir Iain Tom a làmh mu ghualainn. Chaidh iad sìos air an glùinean. Leig an Sleapan do dh'ùrnaigh Iain Tom a dhol troimhe is thairis air.

"A Dhè naoimh, tha sinn na do làthair aig a h-uile h-àm. Agus tha sinn a' cur feum air gum biodh do spiorad-sa gar treòrachadh thugad. Tha dorchadas gar cuartachadh air an taobh a-staigh. Glòir dhutsa nach eil sin an an-fhios dhut. Nach fuasgail thu fhèin a h-uile snaidhm a tha gar ceangal ri olc is àmhalt. Aon bheannaicht', tha gràdh agad dhuinn air nach ruig còmhradh.

"Beannaich sinn ann an seo a-nochd air an fheasgar sa. Beannaich Iain a tha ri mo thaobh. Gun deònaicheadh tu gun dèanadh e àite dhut fhèin na chridhe. Dòirt do spiorad a-nuas air. A Dhè ghràsmhoir, a-chaoidh na leig às sinn. 'S na leig dhuinn a dhol a dhìth, ach ceangal sinn riut fhèin tre Iosa Crìosd.

"A-chaoidh na sgar bhuat sinn. Cù a chailleas a mhaighstir, chan eil dachaigh aige dhan tèid e. Às d' eugmhais, chan eil beath' annainn, tha sinn mar mholl a sgapas a' ghaoth 's a dh'fhuadaicheas i roimhp'. Gabh truas rinn. Thoir a-steach Iain fo sgàth do sgèith. Math dhuinn ar peacaidhean, cùm rian oirnn, agus a h-uile nì a tha sinn ag iarraidh, 's ann air sgàth Chrìosd. Amen."

An Sleapan A-Rithist

Ùrnaigh Iain Tom ann no às, bhiodh an Sleapan a' breith air fhèin a' faireachdainn rudeigin toilicht nuair a bhàsaicheadh cuideigin a dh'aithnicheadh e. Gu h-àraid duine sam bith a chuir a-riamh dragh air an teaghlach, no a dh'fheuch rin nàrachadh air dhòigh sam bith, bho chionn fhada no bho chionn ghoirid.

Duine mocheireach a bh' ann dheth bho òige, dhan robh e do-dhèante fuireach san leabaidh bho chuireadh a' chiad choileach an oidhche gu ruaig. Iomadach madainn sin a dh'èireadh e às a leabaidh mar a chaidh e innt', gun an cadal tuiteam air. Dh'èireadh e an uair sin 's bhiodh e ri driongan timcheall an taighe gus an gabht' an Leabhar.

Dheigheadh e chon na beairt agus toirbeadanan a' snàmh ro fhradharc 's iad cho luath ri luin an t-samhraidh.

"January the thirty-first, January the thirty-first," chanadh a' bheart, 's nam briseadh snàithlean . . . shuidheadh e greis mhòr 's a cheann sìos. "Dè nì mi co-dhiù," chanadh e ris fhèin, "'s nach caomh le duine mi ach Iain Tom. Agus 's dòcha mo mhàthair, bho nach tig às dhith . . . 's cha chaomh leis a' Chruithear fhèin mi – tha sin aithnicht'." Agus, seach gu robh e na chofhurtachd dha, chanadh e 'n dràst 's a-rithist ris fhèin, "Tha dorchadas mòr air mo chridhe, dorchadas nach tog air falbh, a thàinig 's a dh'fhuirich gun m' fhaighneachd.

"'S cha chaomh leam fhìn, ma bhios mi onarach, barrachd air dithis no triùir ann an sgìre mhòr Bharabhais gu lèir: Iain Tom, mo mhàthair bhon as i a thug dhan t-saoghal mi, agus 's dòcha Katie Mary."

Chailleadh e e fhèin mar a b' àbhaist nuair a bhiodh e a' rùsgadh na mònach. Rùsgadh duilich a bh' air mòine muinntir Dhòmh' Ruaidh. Bhiodh e fhathast ga chall fhèin, 's ag èigheachd àird a chinn, "An diabhal orms'! Nach tu tha duilich, duilich do chosnadh co-dhiù!" Agus shadadh e an spaid a bhroinn a' phuill, agus shuidheadh e ann an sin na aonar air a' charcair 's e air a lìonadh le eu-dòchas, 's e ri gal.

Choisicheadh e, ghabhadh e mach mun cuairt, 's a cheum gu math luath, a' leum nam poll 's nam feadan, agus thilleadh e air ais is shealladh e ris an spaid. "Cha do charaich thu," thuirt e rithe aon latha, "'s tha thu ann an sin fhathast, a chabag bhochd."

Bha cuid a lathaichean ann nach b' urrainn dha aghaidh a chur na bu mhò air beairt, no lot, no mòine. 'S dheigheadh e steach chon nan cladaichean. Far an robh an fhaoileag, na ceudan, a' glaodhaich le sgal cruaidh, shuas gu h-àrd agus shìos air palla, 's i ri dìon a còir 's ri caoidh a h-anam a chaill i. A-staigh ann an sin, 's dòch' air latha fiadhaich, fliuch, ghabhadh e gu gal. Agus neo-charthannas na h-aimsir ga dhìon bho shùilean dhaoine. "Air cùl a' ghàrraidh ghuil mi," deir am bàrd, "far nach cluinneadh anail bheò mi. Am fianais nan clach crotalach, thrèig mo neart 's mo threòir mi."

Madainn dhe na madainnean, 's e an-àirde tràth, bha e muigh san iodhlainn a' togail bhratag far nan stocanan càil 's gam bàthadh ann an sileagan paireafain, agus nach ann a chunnaic e rudeigin a' gluasad – na bu mhotha na iolair, na bu mhotha na laogh – air bàrr Clach an Truiseil. Eadar e 's an àird an ear, chitheadh e a' chlach mhòr àrd dhorch agus, feuch, an rud sin a' turraban 's a' gurraban na mullach.

Dh'èirich am falt air cùl a chinn. "O, mo chreach! O, mo chreach," ars esan, 's chaidh e sìos na chrùban eadar an càl 's an rùbarab. Chaidh e tro inntinn, mar ghaoth tro tholl gàrraidh, gu robh am Fear-millidh a' maoidhean 's a' magadh air. 'S e a' sealltainn cho suarach 's a bha e a' cur Iain Tom 's a leithid. Iad fhèin agus an cuid ùrnaighean a bha a' cur dìon, gu seo, air na bailtean.

Bha pìoch air a thighinn ann, 's an anail a' cathachadh a slighe tro chuingead a sgòrnain. Bha 'n lùths air traoghadh às a chasan, 's bha cadal-deilgneach air tighinn beò na dhà chalp is sìos an caol na cois. 'S bha 'n cuan mòr a' lìonadh 's a' sìoladh na chluasan.

Chual' e feadalaich fhonnmhor. Sheall e tro bheàrna. Bha a bhonaid air a dhol a-null mu chluais. Thug e greiseag a' caogadh a shùilean 's ag obair le phluicean, 's rinn e mach mu dheireadh gu robh balach òg na sheasamh air leth-chois am mullach na claiche.

"Gu sealladh mathas air mo chorp," ars esan ris fhèin ann an sanais. "Gu sealladh orm ... a chruthaidheachd bheannaicht' ..."

Chaidh e air a chasan. Chuir e a bhonaid ceart. A-mach leis air cabharn na h-iodhlainn. Agus dh'èalaidh e suas mu na h-oiseanan, is crùib air. Stad e corr uair, a' sealltainn roimhe, aon làmh a' dìon a shùilean. Bha 'm balach casa-gòbhlagain am bàrr Clach an Truiseil agus gàir' air aodann a' sealltainn sìos.

"Cò leis thu agus cò às thu ... a mhic an ànraidh?" ars an Sleapan ris. "Crom à sin mus bris thu d' amhaich."

"Cha chrom buileach fhathast," ars am balach, "'s iongantach gun sheas duine riamh shuas ann an seo ach mi fhìn ..."

"Crom às a sin mus tèid d' fhaicinn," ars an Sleapan.

Bha ròp aig a' bhalach air a chur na bhann timcheall mu bhonn na claiche – dà fheist air an ceangal ri chèile. Bha e air an còrr dheth a thilgeil suas thairis mu bhàrr na claiche. 'S air a dhol a-null gu a cùl an uair sin 's air e fhèin a shùghadh suas oirr'.

"'N ann à Nis a tha thu?" ars an Sleapan, 's e 'g eirmseachadh air a dhòigh còmhraidh.

"An dearbh àit'," fhreagair am balach, a bha mu dhusan bliadhna 's a bha cho eireachdail ri balach a chunnaic e riamh na bheath'.

Ann an tiotadh, ann am priobadh na sùla, thug sealladh a' bhalaich sa buaidh air an t-Sleapan. Bho dhearc e air aodann, shaoil leis gu robh iad eòlach air a chèile bho riamh. Thug a chridhe buic às, mar earb a' leum, 's bha e caillt. "'S ghlacadh mo chridhe 's mo shùil còmhla," ars am bàrd, "'s rinn an gaol mo leòn air ball."

"Dè chanas iad riut?" ars an Sleapan.

"Tormod Noraidh. An Tocasaid," ars am balach, "agus dè chanas iad rib' fhèin?"

"Iain Thormoid Dhòmh' Ruaidh. An Sleapan," ars am fear eile.

"Tormod a bh' air m' athair-sa cuideachd," ars an Tocasaid. "A rèir colais, 's e daoine iongantach a tha sna Tormodan."

"Dh'fhaodadh e bhith," ars an Sleapan, nach tuigeadh cus dibhearsain. "Glè bheag a chunna sinne dheth."

Thug Tormod sùil dheireannach mun cuairt a-mach taobh na mòintich, 's a-mach chon na mara, agus chrom e sìos cho luath ri muncaidh, 's phaisg e an ròp na chuibhle mu ghàirdean.

"Tha mi gus mo tholladh leis an acras," ars esan ris an t-Sleapan.

"Tha thu di-beatht' a thighinn thugainne gu do bhracaist," ars am fear eile, "ach... tha... tha... tha e ro thràth... cha chaomh le mo mhàthair duine a thighinn thugainn gu an dèidh an Leabhair..."

"Suidhidh mi san iodhlainn, 's thig fhèin a-mach thugam le bobhla de lit is bainne, 's na dìochuimhnich an spàin," ars an Tocasaid.

"Cha fhreagradh sin," ars Iain Thormoid Dhòmh' Ruaidh. "Chitheadh i mi."

"Dè ged a chitheadh?"

"Bhoill... dh'fhaighnicheadh i..."

"Dè 'n diofar?"

"Tha diofar..."

"Can rithe g' eil thu dol a thoirt bobhla de lit is bainne do bhalach à Nis a tha gus traodadh leis an acras."

Dh'fhalbh an Sleapan a-steach dhan iodhlainn agus steach an taigh tron t-sabhal.

"Càit a bheil thu dol le sin, a bhalaich?" dh'fheòraich a mhàthair.

"Tha mi dol a thoirt bobhla de lit is bainne do bhalach à Nis a tha muigh an siud, 's e gu traodadh leis an acras."

"O... seadh," ars ise.

Air a' mhadainn sin leugh i rithist a' chiad salm gu lèir, tè a bha tlachdmhor leatha.

Mar chraoibh is amhlaidh bithidh e
'n cois aibhne fàs a ta,
a bheir na h-aimsir toradh trom,
gun duilleach chall no blàth.

"Nach can thu ris a thighinn a-steach, ach an ith e a leòr," ars ise.

"Canaidh," ars an Sleapan.

Bha 'm balach cho gast 's cho duineil 's cho èibhinn 's nach b' fhada gu robh a' chailleach aige na lùbanan. Bha e 'g innse dhi mu dheidhinn a sheanmhar, 's mun latha a thàinig am maighstir-sgoile às a dhèidh 's a leum e mach air ceann cidhe a' Phuirt, ga sheachnadh.

Sin, ma-tha, mar a chuir an Sleapan 's a mhàthair eòlas air Tocasaid 'Ain Tuirc. 'S bhiodh e a' tadhal orra tuilleadh, fhad 's a bha iad an làthair.

"Sin e fhèin, mo ghràdh air," arsa bantrach Thormoid Dhòmh' Ruaidh, agus dealbh na Tocasaid, uair, ann an *Gasait Steòrnabhaigh*.

Bhiodh an Sleapan uaireannan a' dol na mìltean sìos a Nis air sean bhaidhsagal gun bhrèig-deiridh ach am faiceadh e a charaid. Glè thric cha bhiodh Tormod aig baile.

Seachdain no mar sin an dèidh dhaibh coinneachadh air a' mhadainn ud a theab an Sleapan a dhol à cochall a chridhe, bhruadair e bruadar.

Bha e leis fhèin ann am broinn eaglais. Cha robh i beag 's cha robh i mòr. Cha robh duine innt' ach e fhèin. Na sheasamh mu a meadhan, air làr crèadh. Ballaichean de chlach is aol. Làidir, seasmhach. Ma bha uinneagan innt', cha tug e 'n aire. Ma bha doras gu chùlaibh, cha do mhothaich e. Cha robh suidheachan, cha robh being, cha robh cathair. Bha mullach fiodh oirre. Nuair a sheall e suas, bha e mar gu robh e sealltainn sìos a bhroinn birlinn.

Bha 'n eaglais sàmhach agus rudeigin fuar. 'S ged a bha i car dorch, chitheadh e cnap claiche na sheasamh shìos faisg air a ceann. Cha robh dad am broinn na h-eaglais ach i fhèin. Bha i air a h-obrachadh dhòigh 's gu seasadh i ann an siud, 's a dhòigh 's gu seasadh rud oirr', 's bha sean chrùisgean na sheasamh oirre. 'S ged nach robh i snasmhor, 's ged nach robh i rèidh, an dèidh sin bha a' chlach mhòr chruaidh sa air a sgeilbeadh 's air a sneagadh 's air a snaidheadh 's air a sniaradh gus an robh beag no mòr a chumadh oirr', 's gus an robh i na h-altair.

Sheall e suas. Gu fada shuas anns na nèamhan, chitheadh e bàlla beag solais a' sìor theàrnadh gun chabhaig. Fad an t-siubhail bha e ri tionndaidh uime fhèin 's a' cur dheth trì earbaill bheaga. Sìos tro mhullach na h-eaglais gus na ràinig e siobhag a' chrùisgein bhig. Siud an crùisgean thuige le solas buidhe bòidheach, 's cha robh sgeul air a' bhàlla a thàinig a-nuas.

Sheas an Sleapan ga choimhead. Bha e falamh de smuain. Ach bha fois is sìth na chridhe. Bha solas a' chrùisgein a' leum air a shocair, 's air feadh ballaichean na h-eaglais bha 'n aon gluasad beag a' dol, mar lìon mogallach air a thogail 's air a ghluasad aig na h-uisgeachan.

Nuair a dhùisg e, thug e greis mhòr a' smaoineachadh air a' bhruadar. Laigh e ann an sin far an robh e 's cha do charaich e. Bha e tràth sa mhadainn 's cha robh adhbhar gun caraicheadh e. "Mo chreach-s' a thàinig bheannaichte," ars esan ris fhèin, "an rud a chunna mis'."